365

Historias

Ilustraciones de Carlos Busquets
Colaboradores en iluminación de imágenes: Ma. Ángeles Battle y M. López

Textos originales de Joëlle Barnabé, Jean-Pierre Bertrand,
Jacques Thomas-Bilstein y Marie-Claire Suigne

Traducción de Ma. del Pilar Ortiz Lovillo

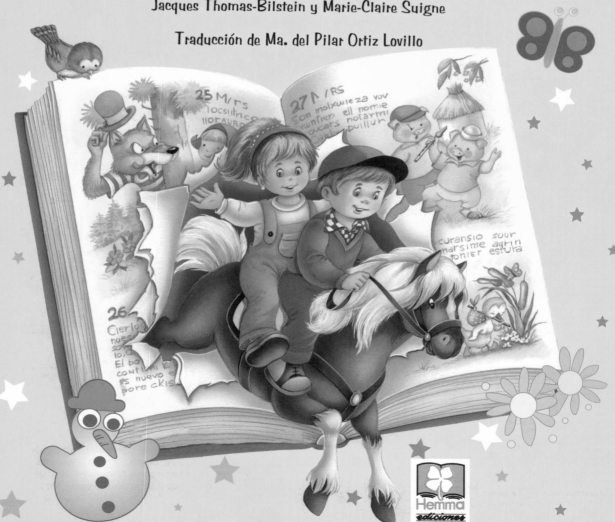

Hemma
ediciones

Esta obra se terminó de imprimir y encuadernar
en el mes de Julio de 2005 en los talleres de
Representación de Impresores Nacionales, S.A. de C.V.
Parque Industrial Puebla 2000, Puebla, Pue.

1

La llegada del Año Nuevo

¡Qué noche! Celebramos el Año Nuevo en familia, en casa. Mamá había preparado una deliciosa cena y un postre... ¡cómo para chuparse los dedos! Después de cenar, papá puso música y lanzamos serpentinas... Cuando llegó la medianoche, mi padrino encendió luces de Bengala. Luego, tío Felix llamó a todos los niños. A escondidas, nos dio muérdago... ¿Adivinas lo que hicimos con el muérdago? Entramos sin hacer ruido, caminando de puntillas, y le dimos el ramillete a mamá.

En muchas miradas vi brillar las lágrimas... A mí me ardían un poco los ojos, pero era seguramente por el humo de las luces de Bengala.

¡La fiesta continuó hasta las tres de la mañana! Nos divertimos como locos... Pero me sentí contenta cuando me metí debajo de las sábanas y cerré los ojos.

¡Esta mañana nos levantamos a las once! Después de nuestro aseo matinal, iremos a desear un buen y feliz año a nuestros familiares y amigos que no vinieron a casa anoche... Pero mi mayor deseo es que los hombres dejen por fin de pensar en hacer la guerra.

¡Feliz año a todos! Luisa.

Pulgarcito

2

Había una vez un leñador tan pobre que no podía mantener a sus siete hijos. Una noche, le dijo a su mujer:

—Mañana los abandonaré en el bosque. No tenemos otra solución.

Pero el más pequeño de los siete niños, que se llamaba Pulgarcito, lo había oído todo. A escondidas llenó sus bolsillos con piedrecitas blancas y, a la mañana siguiente, cuando los niños se encontraban solos en el bosque, Pulgarcito, que había tirado las piedrecitas a todo lo largo del camino, pudo regresar junto con sus hermanos a casa de sus padres. Algunos días más tarde el infeliz leñador los abandonó de nuevo, pero esta vez Pulgarcito no había podido recoger piedrecitas para volver a encontrar el camino. ¿Estaban realmente perdidos?

3

Después de mucho caminar llegaron ante un gran castillo donde vivía un ogro que tenía siete hijas. El ogro permitió que los niños se quedaran a dormir en su casa, pensando que sería mejor comérselos por la mañana temprano.

Las siete hijas del ogro dormían en una gran cama, con una corona de oro sobre la cabeza. Durante la noche, Pulgarcito retiró las coronas de la cabeza de las niñas y las colocó sobre las de sus hermanos, que dormían también en una cama muy grande. ¿Por qué hizo eso Pulgarcito?

4 ❅❅❅

Como el ogro tenía mucha hambre, despertó a media noche y decidió comerse a los niños. Se dirigió a donde estaban acostados y, al sentir las coronas, creyó que eran sus hijas.

Rápidamente, se fue a la otra habitación... al darse cuenta de que no tenían nada sobre las cabezas, se comió a las niñas. Por la mañana los siete hermanos lograron salir del castillo. Pulgarcito se llevó las botas de siete lenguas del ogro. Poco tiempo después llegaron a casa de sus padres que los recibieron con gran alegría. Pulgarcito se hizo famoso con las botas de siete leguas ayudando a los reyes vecinos a llevar mensajes entre sus reinos. Ganó mucho dinero y pudo ayudar a su familia que por fin fue muy feliz.

5 ❅ Los Reyes Magos (Epifanía)

Hace mucho tiempo, en una región muy lejana llamada Palestina, tres reyes magos caminaban siguiendo una estrella... Les habían anunciado el nacimiento del rey de los judíos y querían llevarle regalos: oro, incienso y mirra.

La estrella se detuvo en un establo.

—¡ El niño debe estar aquí! dijo el mago Baltasar.

—¿Aquí?... Pero...

6

–¡No es más que un pesebre!, comentó sorprendido Melchor.

–¡Entremos!, decidió Gaspar.

Y en ese lugar, entre un buey y una mula, vieron al niño que buscaban. José y María se asombraron ante la presencia de tan regios visitantes.

–¡Este niño es el Mesías!, dijo Melchor. Él es el salvador del pueblo de Israel. Es nuestro rey... y los tres magos se arrodillaron ante la cuna de Jesús.

–¡Hoy es día de fiesta!, afirmó Gaspar.

A esta fiesta se le llama Epifanía.

7 ¡Cuidado! No molestar

Para protegerse del frío del invierno muchos mamíferos se esconden y duermen. Puedes encontrarlos en un granero o en una granja, muy bien resguardados. Al erizo le encanta hacerse una bolita y rodar por la paja. Se puede pensar que ha muerto, ¡pero no, sólo se encuentra en estado de hibernación! Nada podrá despertarlo hasta que llegue la primavera. Mientras tanto no tiene hambre ni sed. ¡Qué suerte poder descansar así!

8

El oso duerme también durante todo el invierno. Se alimenta con rica miel y, cuando está satisfecho, se introduce en el fondo de un hoyo. Con su cálido pelaje y su espesa capa de grasa, ¡no corre el riesgo de sentir frío!

El armiño no hiberna ¡pero qué coqueto es! Durante el verano, es de color pardo, pero en invierno se viste con su más hermoso abrigo de piel blanca. Sólo la punta de su cola sigue negra. Así puede confundirse fácilmente con el color de la nieve.

Una mala idea 9

Mateo es un niño muy ingenioso, al que no le gusta fatigarse por nada.

Nadie es más listo que él para hacerse más fácil la vida. Cuando va de paseo, es el primero en encontrar el camino más corto o una idea que le permita caminar menos. Hoy mismo, para pasear a su hermanita en trineo, sin tener que tirar de él, amarró una gruesa cuerda al collar de Sultán, el perro del vecino. Sara estaba feliz...

10

Para que Sultán esté tranquilo, Mateo tuvo que darle el sandwich que mamá había preparado para la merienda.

−¡Vamos, corre!, le dijo al perro que se precipitó rápidamente por el camino.

Todo iba muy bien mientras el camino era recto. Pero en la primera vuelta... ¡qué catástrofe!

La cuerda se rompió y los dos niños rodaron por tierra.

¡Qué mala suerte para Mateo! ¡En lugar de Sultán, será él quien tendrá que llevar al trineo y a Sara hasta su casa!

11

Fredy tiene buen corazón

Hoy es el cumpleaños de Fredy... sus padres le han dado dinero para comprarse una patineta y un casete de su cantante favorito... Llega a la tienda con la sonrisa en los labios.

−¡Hola Fredy!, dice una vocecita detrás de él. Al volverse, nuestro amigo se encuentra con Manuel, un compañero de clase.

−¡Es mi cumpleaños!, le explica Fredy, agitando su dinero. Voy a comprarme una patineta y...

12

–¡Yo cumplí doce años anteayer! dice Manuel. Pero no me regalaron nada...

El corazón de Fredy late un poco más fuerte. Mira a su compañero y no sabe qué responderle...

–¡Si quieres, lo compartimos! Con este dinero podemos comprarnos dos pares de zapatos deportivos. ¿De acuerdo?

–¡Fredy, eres un verdadero amigo!, asegura sonriendo Manuel. ¿Pero qué dirán tus padres?

El señor y la señora López aprecian la buena acción de su hijo y están muy orgullosos de él.

13

El caballito de calcetín

El invierno es muy divertido cuando hay nieve. Pedro y Laura lo han aprovechado muy bien: se han dedicado a pasear en trineo, construyeron un enorme muñeco de nieve y un tobogán de hielo. Pero hoy hace mucho frío ¡y no hay nieve! Pedro y Laura decidieron intentar juegos divertidos. Ahora, sigue sus consejos... ¿Sabías que los calcetines de lana o los guantes viejos pueden servir como instrumentos maravillosos para hacer trabajos manuales? Busca pronto en tu casa un calcetín que ya no se utilice...

14

...Rellénalo con pedazos de tela, de algodón o de guata hasta que se sostenga bien derecho, hunde entonces hasta el talón el palo de una escoba y haz un nudo alrededor del calcetín. ¿No parece la cabeza de un intrépido caballo sobre el que vas a poder galopar?

Por supuesto, hay que buscar también un poco de lana para hacer la crin y coser los ojos que se improvisarán con botones o con fieltro.

Con el mismo material puedes fabricar marionetas. ¡Trata de hacerlo!

15

En invierno, protege a las aves

Las aves sufren mucho cuando hace frío. No encuentran comida y el agua se congela. ¿Quieres saber cómo puedes ayudarlas? ¿Y si les hicieras un comedero? Toma una botella de plástico, úntale pegamento y hazla rodar sobre viruta de madera o musgo. Llénala de granos y suspéndela de una rama, con el cuello hacia abajo. Bajo el cuello de la botella coloca una pequeña tabla.

16

...Ya verás: los pájaros no tardarán en acudir para alimentarse. ¡Pero no comen cualquier cosa! Los paros (como el alionín, el herrerillo y el pájaro moscón), adoran los granos, pero enloquecen con la margarina; los gorriones prefieren las migas de pan. También puedes darles de beber, aunque... ¡cuidado con el hielo! Para evitar que el agua se congele, viértela en un pequeño recipiente con unas gotas de aceite. También puedes construir un nido. Con una maceta es suficiente. Agranda el orificio del fondo y cuélgala de un árbol, pero no muy cerca de casa.

¡Algunas huellas!

17

En una hermosa tarde nevada, Juan Pedro y Paquita fueron al bosque. Iban siguiendo las huellas de los animales en la nieve blanda.
−¡Oh, mira!, por aquí pasó un conejo, y allá pueden reconocerse los saltos de una liebre, exclama Paquita.
Cerca del río, Juan Pedro notó la presencia de pájaros:
−Esos pequeños triángulos son huellas de canarios porque tienen las patas palmeadas. Y allí estuvo brincando un mirlo; ¡mira sus pequeñas huellas uniformes!

18

¡Cuidado con la oscuridad!

–¡Yuupii! ¡Un rayo de sol!...
María está emocionada. Hacía mucho tiempo que ese sol tan pillo no asomaba la punta de la nariz. Pero María es muy distraída. Estaba tan contenta por el buen tiempo que salió sin suéter al jardín. No se puede hacer esto en invierno. Y además, se fue a pasear al bosque...

–¡Hola, Barón!, le gritó al perro de la señora Pérez. ¿Me acompañas?
El perro le hizo tantas fiestas a su paso que no pudo resistir la tentación de llevárselo con ella.

Barón es un buen compañero de aventuras. Tiene olfato y eso es excelente, porque María no tiene sentido de la orientación.

¿Crees que María se perderá?

19

En el bosque por donde va
María hay un paseo llamado de la salud, con numerosos ejercicios para hacer gimnasia. A María le encanta eso. Con mucho entusiasmo avanza en su recorrido sin preocuparse por el tiempo que pasa y de que cada vez se aleja más de su casa. Como en invierno los días son más cortos, al llegar al último ejercicio se da cuenta de que ya es de noche.

–¿Y ahora, cómo voy a regresar?
Afortunadamente, allí estaba Barón. ¡Sin él, María jamás hubiera encontrado el camino de regreso!

Sólo una sonrisa...

Francisca es muy anciana y camina a paso lento. ¡A sus noventa años esto es normal! En el barrio todos la llaman Frambuesa y eso siempre la hace sonreír... Y cuando sonríe, sus mejillas se levantan tanto que ya casi no se le ven los ojos. Una mañana, Frambuesa regresaba del mercado, con su canasta de mimbre en una mano y el paraguas en la otra.

–¡Qué tiempo!, pensaba la viejecita. Una ráfaga de viento hizo volar su paraguas. Mientras Frambuesa trataba de atraparlo, su canasta se abrió y las naranjas rodaron por el pavimento. En ese momento pasaban por allí los amigos de Paco... Los muchachos estallaron en carcajadas al ver las dificultades de la pobre viejecita.

¿Qué crees que hizo Paco?

Paco los fulminó con la mirada, cruzó la calle y recuperó el paraguas. Luego recogió las naranjas y volvió a colocarlas en la canasta de Francisca.

–¡Gracias, pequeño!, le dijo.

–Ha sido un placer, señora.

–¡Todo el mundo me llama Frambuesa, ya sabes!, agregó la anciana sonriendo.

Paco volvió a encontrarse con sus amigos en la otra esquina, Juan le preguntó:

–¿Te pagó bien la vieja?

–Mucho mejor de lo que crees...

–¿Cuánto te dio?, preguntó Marco.

–Simplemente una sonrisa.

22 — El gorrión

Minuchis, el hermoso gorrión, se pone su chal y su gorro para ir a buscar un poco de comida. Pero... ¡qué lástima! De pronto estalla una tormenta de nieve.

–¿Qué haré ahora?, murmura castañeteando su pico.

–¿Ves esa granja?, le dice el abedul. Entra y ahí estarás muy calentito.

–¿Pero tú qué harás?

–¡Yo ya estoy acostumbrado!, le contesta el árbol.

–¡Apresúrate, porque puedes congelarte!

Minuchis entró en la granja donde algunos pajaritos estaban picoteando en el comedero del cerdito

–¡Ven con nosotros!, dijo uno de ellos. Salami, el cerdito, es muy amable. Siempre comparte su comida con nosotros. ¡Gracias a él comeremos muy bien este invierno!

23  Las naranjas

En otras partes de la Tierra el invierno es muy duro, pero en nuestro país es la época de las naranjas. ¿Qué se puede hacer con naranjas? Primero voy a explicarte algo: ¿Sabías que el ojo de una aguja, colocado a 8 metros de una naranja equivale, guardando todas las proporciones, a la Tierra en relación con el Sol? Las naranjas también pueden utilizarse como pelotitas para aprender a hacer juegos malabares, por ejemplo. Cuando comas naranjas trata de cortarlas cuidadosamente por la mitad. Con medias naranjas puedes hacer pequeñas lámparas muy bonitas. Coloca unas gotas de aceite en las cáscaras vacías para que sirvan de combustible. El tallo blanco del centro será la mecha.

24

Para los niños golosos contamos con una deliciosa receta: "Paletas a la naranja". Se necesitan 12 palitos, papel de aluminio, 15 cucharadas de jarabe hecho con azúcar refinada y el jugo de una naranja. Primero se preparan los palitos, colocándolos sobre el papel de aluminio ligeramente untado de aceite para que no se peguen; después se funde el azúcar con el jugo de naranja, a fuego lento, sin dejar de mover. Para saber si está en su punto deja caer una gota de este preparado en el agua y si cristaliza en dos segundos, ¡ya está listo! Ahora vierte un poco de este jarabe sobre la parte superior de los palitos y ¡tendrás tus paletas!

25   La nieve y la helada

26

En el jardín hay por lo menos ¡15 centímetros de nieve! Gracias al aire que guarda, la nieve es un excelente aislante. Los esquimales la utilizan para protegerse del frío y con ella construyen iglús. Pero muchos animales viven también al abrigo de la nieve. En el suelo, bajo la nieve, numerosos insectos hibernan. No podrían soportar la helada si no tuvieran encima una espesa capa de nieve. Como el estanque está congelado, ¡vamos a poder patinar! El hielo es agua que se ha endurecido por el frío. Desde el momento en que llega a cero grados, el agua se transforma en hielo. La helada es el enemigo número uno de la naturaleza.

Cuando los canarios sienten que va ha llegar el frío juguetean en el agua creyendo que así impedirán que el estanque se congele. Pero todos sus esfuerzos son en vano. Cuando el agua se cubre de una espesa capa de hielo, los canarios se ven obligados a emigrar hacia el arroyo que no se congela fácilmente.

27. El lobo, la cabra y los siete cabritillos

Siete cabritillos muy graciosos vivían con su mamá. Como ella se ausentaba con frecuencia para ir de compras, les advertía:

–Cuando yo salga, ¡nunca le abran la puesta a un desconocido! Un gran lobo ronda cerca de aquí y hay que tener cuidado.

Un día, el malvado lobo tocó a la puerta de la casa cuando mamá cabra se había ido a la ciudad.

¿Qué hicieron los cabritillos?

28

Los cabritillos, que eran muy obedientes, no quisieron abrir la puerta. El lobo se fue entonces a la dulcería y compró una gran caja de caramelos. Luego regresó para ofrecérselos. Pero ellos le gritaron:

–Si eres tú mamá, ¿puedes mostrarnos tu pata blanca?

El lobo muy desilusionado, volvió a irse. De pronto se le ocurrió una idea... Fue al molino y le pidió al molinero que le pintara la pata derecha con harina. Regresó a casa de los cabritillos quienes, cuando vieron su pata blanca, creyeron que su mamá había regresado y abrieron la puerta.

Entonces el lobo se lanzó como un rayo y se los comió. Cuando mamá cabra regresó encontró su casa en el más completo desorden. El mayor de sus hijos, que se había escondido en el péndulo del reloj, salió y le contó a su mamá todo lo que había pasado.

¿Qué hicieron entonces?

29.

Salieron a buscar al malvado lobo, al que encontraron durmiendo. Mamá cabra, que había llevado sus grandes tijeras, una enorme aguja y también hilo, abrió el vientre del lobo y sacó a sus seis pequeños. Después llenó de nuevo el estómago del lobo con piedrecitas y volvió a cerrarlo. Cuando el lobo se despertó, se dirigió al pozo más cercano para tomar un poco de agua, pero al inclinarse, como estaba muy pesado, se cayó de cabeza en el pozo y se ahogó. Nadie se sintió triste. Los cabritillos y su mamá hicieron una gran fiesta.

30 La cigarra y la hormiga

Una cigarra se había pasado todo el verano cantando de día y de noche. Cuando llegó el otoño, las noches se volvieron más frescas. Muy pronto hizo su aparición el invierno.

Un viento helado soplaba sin descanso y la helada continuaba. La cigarra no había almacenado provisiones para pasar el invierno. Tenía mucha hambre, pero sus alacenas estaban vacías. De pronto se acordó de la pequeña hormiga que vivía junto a ella. Durante todo el verano, mientras el tiempo era agradable, la hormiga había trabajado sin descanso para reunir sus provisiones. Su granero debía estar lleno de sabrosos alimentos. Tan sólo de pensarlo se hacía agua la boca de la cigarra.

¿Se atrevería a ir a casa de la hormiga?

31

Como no podía resistir más, la cigarra se dirigió a casa de la hormiga y tocó a la puerta. Cuando la hormiga abrió, le preguntó si podía proporcionarle un poco de comida para subsistir hasta la próxima primavera. Le prometió que se la devolvería sin falta en el mes de agosto.

—¡Ya no me diga más, la respuesta es no! dijo la hormiga en un tono muy firme. ¿Qué hizo usted durante todo el verano?

—Pues me dediqué a cantar, respondió la cigarra.

—Así que usted cantaba, de eso estoy bien segura, concluyó la hormiga. Muy bien, pues ahora baile. Y le cerró la puerta.

Juegos de invierno

1 Hoy los niños no querían ir a la escuela ¿sabes por qué? Porque ayer nevó durante toda la noche y preferían quedarse a jugar.

–¡Tendrán tiempo de jugar después de la escuela!, les dijo el maestro. Si se portan bien, no les dejaré tarea.

Después de la clase, los niños se precipitaron hacia la salida y empezaron a construir un enorme muñeco de nieve. Daniel prefirió pasear en trineo.

–¡No vayas solo!, le dijo su mamá. Pero el niño se lanzó hacia la pista y el trineo empezó a deslizarse a toda velocidad.

–¿Cómo se detiene esto?, gritó tirando inútilmente de la cuerda.

–¡Cuidado!, le advirtió Rogelio.

Los niños se hicieron a un lado justo a tiempo.

¿Cómo terminará este paseo?

2 Daniel y su trineo chocaron contra el hermoso muñeco de nieve... ¡que se derrumbó en mil pedazos!

–¡Qué tonto!, exclamó Beto.

–¡Hay que volver a hacerlo!, se lamentó Virginia muy triste, bajando la cabeza.

–¡Mamá te había prohibido que subieras al trineo!, dijo Patricia enojada.

–¡Ya no le digas nada!, intervino Mauricio. Este accidente le servirá de lección.

Los niños volvieron a empezar el trabajo y, esta vez, Daniel también participó en la construcción del muñeco de nieve.

FEBRERO

3 Juegos de palabras

Ana Sofía es una niña muy parlanchina. Pero hoy, aunque parezca extraño, no se la oye hablar.

—¿Qué te pasa, Ana Sofía?, le pregunta su hermana Carolina. ¿Estás enferma? Ya no hablas.

—Me aburro mucho, Carolina. El tiempo está muy malo y no tengo nada que hacer.

—¡Cómo! ¿Nada qué hacer?... Mira te propongo un juego, especial para ti que te gustan tanto las palabras ¿Conoces las charadas? Se adivina primero una palabra, luego se agrega otra y, cuando tienes dos o más juntas, se forma la palabra que debes adivinar. Escucha bien lo que voy a decirte: mi primera palabra es la primera sílaba de lo contrario de alto; la segunda es lo contrario de vacía. El significado es un animal que vive en el mar. ¿Puedes adivinar de qué animal se trata?

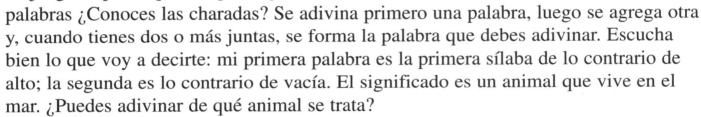

4

—Ba... llena... ¡Sí! ¡ya lo tengo!, la ballena. ¡Lo adiviné! ¡Otra vez, Carolina! ¡Empiezo a divertirme!

—¡De acuerdo! Aquí hay otra, un poco más difícil. Mi primera palabra se forma con las tres últimas letras de lana, la segunda es lo opuesto a un niño y la tercera es lo contrario de inteligente. La frase completa está muy cerca de mí en este momento.

—Ahora sí que no entendí nada Carolina...

—¿Te has olvidado de tu nombre hermanita? Ana... niña... tonta.

Eso es lo que tenías que adivinar. Te engatusé, ¿no es cierto? ¡Vamos a continuar!...

¡Qué tranquilidad!

5

¡Groac! ¡groac ¡groac! Sobre el campo reina un silencio absoluto. Toda la naturaleza parece estar afectada por el frío. Sólo algunos cuervos nos hacen recordar con sus graznidos cavernosos que en esas grandes extensiones de tierra congelada queda todavía un poco de vida.

–¡Groac!, dice uno de ellos. Hoy atacaremos ese montón de basura.

Seguramente está lleno de larvas y gusanos. Eso me emociona.

Con sus compañeros se dedican a trepar y rascar en la basura hasta casi acabarse las uñas.

–Tenemos que comer todo lo que podamos, comenta un cuervo que anda cerca. El cielo está gris y creo que va a nevar ¿qué comeremos cuando todo este nevado?

–En ese caso iremos a picotear por las granjas, sugiere otro cuervo.

6

–¡Ah no, eso sí que no!, responde su compañera. La última vez que metí las patas en un corral, un perverso gallo me atacó. Es mejor que vayamos a los jardines.

Se hace tarde. Los cuervos se agrupan y se van a dormir. Unos se alojan en la parte más alta de una vieja torre, otros, en la copa de los árboles. ¡Pero qué escándalo! No hay manera de que se callen.

Bien entrada la noche aún siguen con sus parloteos. Algunos dan vueltas por el cielo negro y molestan a sus vecinos

7

Ciervos, ciervas y cervatillos

En invierno, los animales del bosque siempre tienen mucha hambre; no encuentran alimento porque la nieve lo ha cubierto todo. Los árboles no tienen hojas. Ciervos y cervatillos, en manadas, recorren kilómetros y kilómetros buscando un poco de comida. Afortunadamente, el guardabosque instaló un comedero en el corazón del bosque... Cada mañana, coloca paja y heno así como un montón de sal que sirve para quitar la sed de toda la manada. Observa al ciervo grande, él dirige majestuosamente a toda su familia; su cabeza está adornada con grandes cuernos que se le caerán cuando llegue la primavera. ¿Sabes qué será de él?

8

Cuando el ciervo se hace viejo, abandona la manada y vive solo. No confundas a la cierva con el cervatillo. La cierva es la hembra del ciervo, el cervatillo es más pequeño y vive en los bosques o en la maleza más tupida, cerca de las praderas. Le encantan las hojas tiernas de los árboles y las bayas. Se reconocen por las manchas blancas que tienen en el lomo, pero sobre todo por sus saltos prodigiosos. Si un día quieres ver a uno de ellos en el bosque, ¡ten mucho cuidado y no hagas ruido!...

¿Cómo nacen las legumbres?

9

¡Qué suerte! Hoy no está helando. Pedro se pone un suéter y va al campo donde espera encontrar a sus amigos.

Desafortunadamente no encuentra a nadie, sólo al señor Pérez que arranca las últimas lechugas de su huerto.

–¿Está usted triste?, le pregunta Pedro.

–¡Pues sí, pequeño!, responde el anciano. Dentro de poco tiempo no podremos utilizar este terreno para sembrar. Próximamente construirán aquí un gran edificio.

–¡Pero eso es terrible! dice el niño.

–¿Qué van a hacer los duendes, sobre los que usted tanto me ha hablado, que pintan las raíces y dan forma a las legumbres debajo de la tierra?

10

Muy inquieto por este problema, Pedro pasa una mala noche. Por la mañana muy temprano, toma su bicicleta y se dirige de nuevo al campo. Una grúa muy grande ha empezado a remover la tierra. El niño observa con gran atención los grandes surcos que las máquinas han abierto en el suelo. ¡Y no ve nada! Decepcionado y perplejo, regresa a su casa. Por el camino se encuentra con la dueña de la tienda de comestibles y le cuenta su historia, pero ella le dice:

–No te preocupes, yo te explicaré cómo nacen verdaderamente las legumbres, es algo apasionante...

11

El oso y los dos amigos

Dos pobres amigos decidieron un buen día cambiar su suerte. Para lograrlo, dejaron volar su imaginación con grandes proyectos. Se dirigieron a un curtidor de pieles y le vendieron muy cara la piel de un oso gigante y magnífico. El único problema era que el oso todavía estaba vivo y coleando, y corría por la montaña. Capturarlo iba a resultar una gran aventura.

Una hermosa mañana, los dos amigos fueron en busca del oso. De pronto, lo vieron. Estaba de pie y se sostenía sobre sus patas traseras.

Los cazadores, muy asustados, huyeron despavoridos. Uno de ellos se subió al primer árbol que encontró. El otro tropezó con una piedra y cayó.

12

Permaneció inmóvil y fingió estar muerto. Porque en efecto, él sabía que los osos sólo atacan a los vivos.

El oso se acercó a él, resopló y después se fue. ¡Uf! ¡Qué suerte tuvo!

Su amigo abandonó el refugio del árbol, corrió hacia él y escuchó sorprendido lo que éste le contó.

–El oso me habló, le dijo.

–¿Sí?, ¿y qué te dijo?

–Que nunca debe venderse la piel de un oso antes de matarlo.

Desilusionados, después de recibir tan dura lección, los cazadores volvieron a su pueblo y contaron la historia al curtidor de pieles que también se quedó muy decepcionado.

13. El día de San Valentín

Anoche, papá regresó de la oficina con un gran paquete envuelto para regalo.

–¡Es para mamá!, nos dijo en voz baja. Es una sorpresa para mañana, pero no digan nada, ¡es un secreto!

Esta mañana, durante el desayuno, papá nos guiñó el ojo, luego dijo dirigiéndose a mamá.

–¡Oh, qué barbaridad! ¡Olvidé que era el día de San Valentín! ¡Discúlpame! Para el próximo año será... ¡Bueno! ¡Voy a rasurarme!

Mamá no contestó nada... pero se notó que estaba enojada. Nosotros comimos nuestro cereal y nos dirigimos miradas de complicidad sonriendo ¿Qué va a pasar?

14

Papá regresó al comedor y depositó el famoso paquete sobre la mesa.

–¡Felicidades, cariño!

Mamá sonrió, luego aparentó enojarse.

–¡Me habías engañado bandido!, dijo. ¡Y este par de pillos lo sabía!

–¿Qué significa la fiesta de San Valentín?, preguntó mi hermana.

–¡Es la fiesta de los enamorados! ¡Papá y mamá se aman mucho, ya sabes!

¿Qué habrá en ese paquete tan bien arreglado, mis pequeños amigos lectores?

¡Ah! ¡Es un secreto!

15

El Gato con Botas

Había una vez un molinero que tenía tres hijos. Cuando murió, el mayor heredó el molino, el segundo un asno y el tercero sólo un gato:

El hijo más joven le dijo entonces al animal:

—Tú no eres más que un gato, pero no te abandonaré jamás.

En realidad el gato era un mago, y le respondió:

—No te preocupes amo, yo cambiaré tu suerte, espérame aquí.

Y se fue por el camino. Pronto encontró una carroza en la cual iban de paseo el rey y su hija, la princesa.

El Gato con Botas, elegantemente vestido, detuvo el vehículo. ¿Qué le dijo al rey?

16

—Señor, vengo en representación de mi amo, el marqués de Carabás que os está esperando en su castillo.

Después subió a la carroza que siguió su marcha. Durante todo el camino, el Gato con Botas le habló al rey de las muchas riquezas que su amo tenía. Cuando llegaron a un magnifico castillo, el Gato con Botas quiso entrar solo. Él sabía que estaba habitado por un ogro, al que le dijo:

—No creo que puedas convertirte en un animal pequeño.

¿Cómo iba a reaccionar el ogro'

17

El ogro, enojado al ver que alguien dudaba de sus poderes, se transformó inmediatamente en un pequeño ratón. En un instante... ¡el gato se lo comió! Muy pronto, el rey y la princesa llegaron al hermoso castillo y el joven los recibió lujosamente vestido. La princesa pensó que el marqués era muy gentil. El rey, que se sentía muy feliz, concedió la mano de su hija a ese joven encantador, tan bien parecido y rico. El Gato con Botas vivió muchos, pero muchos años, cerca de su amo quien siempre estuvo muy agradecido con él.

18

¡Qué lotería!

Te voy a contar la historia de un niño que se llama José. Adora a los animales pero sus papás no quieren tenerlos en casa.

—Para tener un animal en casa, hace falta disponer de mucho tiempo para cuidarlo, le dijo su mamá a José que estaba muy triste.

Hoy es la fiesta de la escuela de José y en la lotería ganó un pequeño gatito atigrado. Ante su radiante sonrisa, papá y mamá se enternecieron.

—¡Un gatito no necesita muchos cuidados!, explicó José.

19

Vamos a disfrazarnos

Disfraces, faroles, sombreros, serpentinas... hay muchas cosas que pueden hacerse para el carnaval.

Voy a darte algunas ideas para fabricar accesorios muy divertidos y fáciles de realizar: Una bolsa de basura, abierta en el fondo para que puedas introducir la cabeza, y unos agujeros a los lados para los brazos, será un perfecto traje de bruja; una nariz postiza en forma de gancho, un sombrero puntiagudo y una escoba, y tendrás el disfraz completo.

Con unas bolsas de papel de estraza, como las que dan en algunas tiendas, también puedes hacer máscaras muy originales de animales si les haces dos hoyos para los ojos y coses las esquinas para formar las orejas...

20

Si tienes mucha imaginación, no dudes en inventar una máscara de monstruo. Toma unos guantes de hule de los que se usan para hacer al aseo de casa, ponle uñas de cartón y decóralos con marcador de colores, así tendrás unas hermosas manos de vampiro. Incluso en los objetos más familiares puedes encontrar muchas ideas para disfrazarte. Por ejemplo: una cacerola puede servir de sombrero; un bote de jabón, como tambor; con un plumero podrás hacer un penacho de indio... y así sucesivamente.

21

La liebre, el conejo y el jabalí

Juana, la liebre, y Juanito, el conejo, no tienen mucho que comer durante el invierno. Se han dedicado a buscar por cielo y tierra, pero no encuentran ni tierna alfalfa ni dientes de león. ¡Brrr! ¡Además hace un viento helado! Para combatir un poco el frío, colocan sus largas orejas sobre la espalda.

Pero la mejor forma de calentarse sigue siendo correr. Juana es la campeona de las praderas; ¡su velocidad puede alcanzar los 60 Km. por hora! Vive en una madriguera, un simple hoyo, poco profundo, en pleno campo, o simplemente entre los matorrales. Juanito es más pequeño y no corre tan rápido. Le gusta abrir un agujero en la tierra y allí abriga a su coneja y a sus conejitos.

22

¡Grr!¡Grr! ¡Qué ruido! Es una familia de jabalíes que literalmente se dedica a labrar la tierra. No encuentra casi nada que comer, sin embargo el jabalí no se desanima.

Acompañado por la jabalina y sus jabatos, corren muchos kilómetros en busca de raíces y de insectos. ¡Pero... cuidado! No debes molestarlo porque puede ser muy peligroso. El macho tiene dos largos colmillos que cortan como si fueran puñales. Por fortuna sólo los utiliza cuando se siente amenazado.

23

¡Feliz cumpleaños!

Esta tarde hemos celebrado en la escuela el cumpleaños de Sandra y de Lucas... Las mamás llevaron pastelillos y nosotros ayudamos a la maestra a poner una gran mesa en medio del comedor.

Luego empezamos a cantar en honor de nuestros amigos.

–¡Feliz cumpleaños los dos! ¡Feliz cumpleaños los dos! Feliz cumpleaños Sandra y Lucas ¡Feliz cumpleaños los dos!

24

De pronto, Elodia se puso a llorar.

–¿Qué te pasa, cariño?, preguntó preocupada la maestra levantándose de la mesa.

–¡Me duele la muela! ¡No podré probar los pastelillos!

–¡Yo me comeré tu parte!, respondió de inmediato el gordito Gilberto.

–¡La glotonería es un defecto muy desagradable! le dijo regañándolo la señora del Bosque. El niño enrojeció y luego propuso:

–Podríamos envolver el pedazo de pastel de Elodia....Y mañana, cuando ya no le duela nada, podrá comérselo.

–¡Prefiero esta solución!, contestó sonriendo la maestra dándole unos cariñosos golpecitos en la mejilla.

¡Dos pequeños genios!

Polo, el castor, es el constructor más genial de la naturaleza. Vive en las orillas de los ríos. No es muy diestro en la tierra, pero es un excelente nadador. Es a la vez, leñador, ingeniero y albañil. La choza que construye sobre el río está formada por pequeñas ruedas de madera, unidas con lodo. Polo levanta una verdadera presa sobre el agua a fin de consolidar su casa. La hace incluso con dos salidas, una por debajo del agua y la otra por la tierra. Desafortunadamente, el castor es un roedor en vías de extinción, ya que por mucho tiempo fue cazado, sobre todo por su carne y por su piel. Actualmente, está protegido por la ley.

El amigo más simpático de la naturaleza es la ardilla. Vive en las coníferas. Sí, construye su pequeño nido en la copa de los pinos. Sus pequeñas patas con garras le permiten subir por los troncos. Poco tímida, la ardilla se instala con gusto en parques y jardines. También se deja domesticar si se le da de comer regularmente. ¡Pero es tan distraída!... Se dedica a almacenar provisiones para el invierno, y con frecuencia olvida el lugar donde están sus escondites...

Visita sorpresa

27

La maestra de Clara decidió que su grupo visitaría hoy el museo de Historia Natural. Clara esta contenta porque es la primera vez que irá. Parece que hay un esqueleto de ballena y muchos animales disecados. Tomamos un autobús y... ¡Ya llegamos!

–Fantástico, exclama Clara al ver las grandes vitrinas llenas de animales raros, mudos e inmóviles.

Su amigo Damián está un poco asustado. Pero no se atreve a decir nada delante de los demás.

–¡Ven por aquí, le dice Clara. Hay una salita muy simpática que todavía no hemos visto. Parecen animales prehistóricos.

¿Qué aventura les espera?

28

Distraídos, los dos niños se separan del grupo. Después de mucho rato, Clara se da cuenta de que todo está muy tranquilo alrededor de ellos.

–Parece que estamos solos, dice. ¿Qué hora es?...

–¡Oh! ¡Ya es mediodía! ¡El museo va a cerrar! Efectivamente, ya no hay nadie.

Por fortuna, Damián tiene una idea:

–Podemos salir por la ventana del sanitario...

–¡Uf, qué alivio! ¡El autobús todavía está ahí! ¡Prefiero la compañía de nuestros amigos a la de las ballenas!

29 ¿Llegará pronto la primavera?

La naturaleza se ve triste en invierno porque no hay flores. Y sin flores, ¡no hay colores! ¿En dónde están entonces las margaritas, los junquillos, las rosas y los lirios? Hace mucho frío para que esas flores puedan abrirse. Sin embargo, debajo de la tierra, raíces y bulbos se preparan para dar magníficas flores.

–Yo me vestiré con un soberbio traje blanco y un enorme botón amarillo, dice la margarita.

–¡Oh!, pero aún te falta mucho para eso. En cuanto a mí, mis pétalos blancos acaban de abrirse y asoman por arriba de la nieve.

–Yo no le temo al frío.

Amanda y Nicolás no pueden oír el diálogo de las flores. La niña no sale de su asombro: en esta estación, tan fría, puede cortar un ramillete de flores para su mamá. Debajo de la tierra, el junquillo asegura:

–No se sientan tan orgullosas, amigas mías. Cada una de nosotras saldrá de la tierra en el momento oportuno. Así es que por favor, no se apresuren. Sigan mi consejo. Yo no saldré de aquí hasta que termine de helar.

–¡Qué lata!, se lamenta la amapola. Tendré que esperar todavía toda una estación...

Desde lo alto de una rama, Negrito, el mirlo, no escucha las quejas de las flores. Entusiasmado ensaya una y otra vez su actuación para la gran fiesta de la primavera. Desde ahora ejercita mañana y noche sus vocalizaciones.

1. Carnaval en la escuela

Este año, para el carnaval, la directora ha organizado un concurso de disfraces... Un público numeroso tomará su lugar en la sala de fiestas de nuestra escuela. Cada espectador elegirá los cuatro mejores disfraces: el más bonito, el más original, el de más colorido y el más divertido. El desfile comienza.

Los candidatos dan una vuelta alrededor del escenario y luego se van tras bambalinas. Más tarde, todos los participantes se reúnen por última vez en el escenario y luego cae el telón.

Media hora más tarde, la directora anuncia los resultados:

¿Quiénes serán los ganadores?

—El traje más bonito fue el de Marisol, la marquesa. ¡Bravo!

2.

—¡El disfraz más original el de Cristóbal, el vagabundo! ¡Felicidades!

—¡El traje de arlequín de Estefanía el de más colorido! ¡Magnífico!

—¡En la categoría del traje más cómico, el de payaso, de Julia! ¡Que lindo!

Cada uno de los ganadores recibió una medalla de recuerdo, después el animador pidió que se iniciara la música.

Los confetis vuelan... Las serpentinas se extienden por todas partes... Los niños bailan... ¡Qué tarde tan maravillosa!

3. El pájaro carpintero y el arrendajo

¡Toc! ¡Toc! ¡Toc! ¿Quién es? ¿Quién está martilleando los árboles del bosque? Parece como si fuera un martillo neumático. ¡Es Picofino, el pájaro carpintero!

Con su largo pico puntiagudo golpea la corteza de los viejos árboles para hacer salir a los insectos. Lo que más le gusta son las hormigas. ¿Sabes lo que hace para atraparlas? Mete la lengua, larga y fina como un hilo, en las agujas del pino y las engulle.

¡Qué astuto!, ¿no? Además, este hermoso pájaro, de plumaje verde y amarillo y cabeza color púrpura, se fabrica un magnífico nido en los huecos de los árboles secos. De pronto, un tremendo grito resuena a pocos pasos de mí bajo los frondosos árboles...

4.

¡Es un arrendajo! Puede decirse que es el guardián del bosque: él es quien alerta a todos los animales cuando hay peligro. Pero yo no quiero hacerle daño, sólo me paseo tranquilamente, así que emprende el vuelo, mostrando su hermoso plumaje con estrías azules, blancas y negras. Se alimenta principalmente de bellotas que transporta hasta muy lejos y que algunas veces olvida. Pero el malvado ataca también los nidos de sus compañeros y devora a los polluelos que son más débiles que él.

MARZO

Blanca Nieves y los siete enanos

5

Había una vez un rey que, al quedar viudo, volvió a casarse con una mujer muy bella pero muy mala. El rey tenía una hija encantadora que se llamaba Blanca Nieves. La nueva reina, que en realidad era una bruja, comenzó a detestar a la princesa. La malvada mujer tenía un espejo mágico el cual le dijo un día que Blanca Nieves era más hermosa que ella. La reina, furiosa, decidió dar muerte a Blanca Nieves, pero la princesa, al ser advertida de esta amenaza por un servidor de la reina, huyó al bosque. Allí descubrió una casita donde vivían siete enanitos que la acogieron con mucho cariño.

Blanca Nieves se ocupaba de los quehaceres de la casa.

6

La malvada reina, que había seguido el rastro de la princesa gracias a su espejo mágico, preparó una hermosa manzana envenenada y, disfrazada de viejecita, se dirigió al bosque.

Cuando encontró a Blanca Nieves le ofreció la manzana. La princesa la comió y cayó inmediatamente al suelo sin vida y muy pálida. Sus amigos, los enanitos, creyendo que estaba muerta la colocaron en un ataúd de cristal. ¿Permanecería allí eternamente?

7

Un príncipe, que se había perdido en el bosque, vio de pronto a Blanca Nieves y la encontró tan bella que se aproximó al ataúd donde reposaba rodeada de los enanitos que no dejaban de llorar. Levantó la tapa de cristal y se inclinó para besarla. En ese momento Blanca Nieves abrió los ojos y le sonrió. Todos estaban felices. ¡La princesa se había salvado! El veneno no era mortal. El príncipe se enamoró de Blanca Nieves. Algunos meses más tarde se casaron en un hermoso castillo. Los siete enanos asistieron a la boda y estuvieron muy contentos al ver la felicidad de Blanca Nieves.

8

El perico parlanchín

La señora Domínguez compró un perico rojo y verde. Todos los días le enseñaba palabras nuevas y Granpico las repetía fácilmente. Tal vez con demasiada facilidad... Un día, la señora Domínguez invitó a tres amigas a tomar el té y aprovechó para presentarles a su perico. La señora Domínguez lo iba a lamentar mucho porque Granpico era tan hablador que las señoras no pudieron decir ni media palabra.

9

¿De dónde viene el viento?

Paty acaba de despertarse muy sobresaltada y tiembla bajo las sábanas. De pronto un gran silbido hace que se estremezcan los muros de la casa. ¿Y si fuera el lobo que sopla como en el cuento de los tres cerditos? ¿O será una enorme aspiradora? ...¡Qué horror!

–¡Papá! ¡Mamá!, grita Paty con todas sus fuerzas.
¡Tengo miedo! Papá es el primero en llegar.
Abraza a su pequeña hija, que se aferra a su pijama para sentirse segura.
–¿Qué pasa?, le pregunta papá dulcemente.
–Ese ruido, dice Paty. ¿De dónde viene?

10

–Sólo es el viento, responde papá con su voz cariñosa ¡No tengas miedo!
–Mira, le dice, el viento puede ser muy útil. Cierta vez, cuando yo era niño, fui a pasear cerca del mar con mi abuelo. Él me enseñó la dirección que seguía el viento gracias a las veletas del campanario. Una hora después, me perdí en la ciudad. Sin las explicaciones de mi abuelo y el descubrimiento de una veleta en una iglesia nunca hubiera podido encontrar el camino a casa.

Un día de carnaval

11.

Las calles están repletas de gente. Papá le dice a Bernardo:

–¡Ya verás hijito: el carnaval es formidable!
Bernardo, sin soltar las manos de sus padres, trata de deslizarse entre los espectadores que se empujan y divierten como locos. De pronto, nuestro amigo oye la música que acompaña a los payasos; los instrumentos de viento, los cascabeles, los tambores...

Afortunadamente, papá lo sube sobre sus hombros. Desde allá arriba, Bernardo puede admirar el desfile a su gusto. El niño abre los ojos muy grandes ¡Qué espectáculo!

12

Los sombreros adornados con plumas de avestruz blancas o pintadas, se agitan al ritmo de la música...
Cientos de naranjas vuelan en todas direcciones y se estrellan contra los muros o las rejas que protegen los vidrios de las ventanas...
Bernardo extiende sus manos: le encantaría mostrar a sus amigos de la escuela una verdadera naranja de payaso. En ese momento un payaso se detiene, le hace una seña con la mano y sonríe. Nuestro amigo ha comprendido y ¡hup! Atrapa al vuelo la naranja ¡Qué día tan inolvidable!

13. Pedro está enfermo

El viento sopla y llueve a cántaros.
Pedro no puede ir hoy a la escuela porque tiene gripe. ¡Qué largo le parece el día sin sus compañeros!
Nuestro amigo se aburre porque está muy solo: papá se fue a la oficina y mamá se ocupa de las labores de casa. Sólo le queda Budín su perro, que está acostado al pie de la cama. Pero Budín sabe que su amo está enfermo, por lo tanto se conforma con mirarlo y lamerle las manos de vez en cuando.

–¡Nadie vendrá a verme!, gime el niño
–¡No te inquietes, hombrecito!, le responde mamá enjugándole la frente. El doctor recomendó que descansaras y permanecieras en cama.
En ese momento suena el timbre. ¿Quién será?

14

La señora Gómez abre la puerta. Es el señor Ramírez, el maestro, que viene a ver a su alumno:
–¿Cómo está el enfermo?
–¡Me aburro, maestro!
–¡En pocos días ya estarás bien muchacho! Tus amigos me pidieron que te diera esta carta. ¡Todos la firmaron!
Pedro abre el sobre y lee:
"Esperamos que te alivies pronto. Nos haces mucha falta". Los ojos de nuestro amigo empiezan a brillar. ¿Será por la fiebre?

La mini feria

La pesca de patos, el tiro, los juegos de manos... ¿Crees que es necesario ir a la feria para jugar a todo eso? Por supuesto que no... ¡cuando se tiene un poco de imaginación! Aquí tienes algunas ideas. Para las cañas de pescar, no hay problema: con un palo, un bambú o un tubo puedes hacer el mango. En la punta le amarras el hilo y un gancho (un clip será perfecto).
En cuanto a los patos, pueden ser reemplazados por pequeños botes de refrescos ya vacíos. ¡Pero cuidado!, la plaquita con la que se destapan debe permanecer en su lugar. También puedes preparar juegos de lotería ¡y listo! ya tienes una caseta de feria completa para jugar.

16

¿Te gustan los juegos en los que se lanzan pelotas o aros?
Entonces también puedes improvisar otras casetas: toma primero una gran caja de cartón, después hazle un agujero (que puede ser la boca de un payaso, por ejemplo) y ya puedes jugar. Tienes que apuntarle con una pequeña pelota. Luego coloca unas botellas y arroja sobre ellas unos aros. Así que ponte a trabajar. Si estás solo es una buena razón para invitar a los amigos ¡No todos los días se puede hacer una feria en casa!

MARZO

17

El despertar de la primavera

¿Qué te parece si vamos al bosque? Los árboles todavía no tienen hojas pero están adornados con pequeños retoños. Mira ese nogal: ya tiene botones dorados, ¡parecen verdaderas joyas! Como sopla un ligero viento, pronto volará una pequeña nube de polvo de oro; es decir: el polen. ¡Qué maravilloso tapiz de flores cubre el suelo! Las flores tienen tanta prisa por salir que hasta los árboles dejan filtrar los rayos del sol para que les dé calor. ¡Oh!, mira, allí hay un ranúnculo, también se le llama botón de oro, por su hermosa flor amarilla. Y aquí está una primavera, es la reina de la temporada. Y luego, en el claro del bosque, hay toda una familia de violetas... ¡Podríamos hacer un hermoso ramillete para mamá!

18

¡Pac! ¡Pac! ¡Pac! ¡Ay! ¡Cómo duele! Parecen canicas blancas que golpean los techos y ruedan por el suelo. ¡Son los aguaceros y el granizo de marzo! Llegan de pronto, en el momento más inesperado, por sorpresa. Se los lleva un viento glacial y, felizmente, sólo caen durante algunos segundos, apenas tienen tiempo de cubrir a la naturaleza con una fina capa que se borrará con el primer rayo de sol. El cielo se aclara de nuevo...

En todo caso, la granizada nos avisa que el invierno ya se ha ido...

Sorpresa en el estanque...

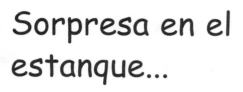

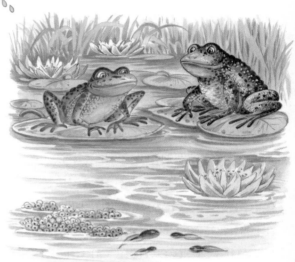

19

¿Qué pasa en el estanque? La nieve se ha fundido y una nueva vida renace. ¡Croac! ¡Croac! El señor y la señora rana están muy felices, saltan y se sumergen en el agua.

—¡He puesto miles de huevos!, exclama la señora rana, muy orgullosa dirigiéndose a su marido. Así es, una hilera de huevos transparentes flota sobre el agua. En el centro de cada huevo se encuentra un renacuajo, el hijo de la rana.

—Pronto, dice la señora rana, cada renacuajo dejará su huevo y nadará como un pez.

—También podrán saltar sobre la tierra, agrega su marido.

—Sí claro, pero los renacuajos deben aprender primero a moverse en el agua. Y después... ¿Sabes en qué se convertirán?

20

Por supuesto, dice papá rana. Nuestros pequeños perderán poco a poco la cola que les sirve de aleta y se parecerán cada vez más a nosotros.

—¡No tan pronto! Recuerda que dos pares de patas, provistas de pequeñas palmas, reemplazarán a las aletas.

—¡Ah, sí! Entonces podrán salir del agua y se convertirán, como nosotros, en verdaderos anfibios, que se sentirán tan bien en el agua como en la tierra.

—Mientras tanto, vigila muy bien para que los pájaros no vengan a devorar nuestros huevos, concluye la señora rana

La primavera

21

–¡Ya llegó la primavera! ¡Se acabaron los rigores del invierno! El aire es más dulce y el sol nos acaricia tímidamente el rostro. La naturaleza transforma su abrigo blanco en un ropaje multicolor. Las aves se despiertan de un largo silencio y cantan felices por el regreso de la primavera. Habrá comida en abundancia para toda la familia que pronto aumentará.

Las flores se extienden en un abrir y cerrar de ojos. Los retoños aparecen en los árboles y pronto les darán un nuevo ramaje. ¡Miren al erizo perezoso! Bosteza como si se le fuera a caer la mandíbula y olfatea el aire primaveral...
–¿Qué hora es?, pregunta el erizo. He dormido tanto...

Juanito y los frijoles mágicos

22

Hace mucho tiempo, en un país lejano, un niño llamado Juan vivía con su mamá en el campo. Un día, la mamá se quedó sin dinero y le pidió a su hijo que fuera a vender a la ciudad la única vaca que tenía. Por el camino, Juan se encontró a un comprador que le dio tres frijoles mágicos a cambio de la vaca. Cuando la mamá de Juan se enteró no podía creerlo. ¡Cómo era posible que hubiera cambiado su única riqueza por tres frijoles! Sin embargo

Juan estaba convencido del poder mágico de los frijoles. El niño los plantó frente a su casa y muy pronto retoñaron hasta convertirse en una enorme planta que se elevaba hasta el cielo. Juanito, sorprendido y curioso decidió escalar este árbol extraño y, un día, inició el ascenso.

23

Subió y subió hasta las nubes, allí descubrió un fantástico castillo.

Al darse cuenta de que la puerta estaba abierta, entró. Cuando llegó al comedor advirtió que un ogro estaba comiendo. El ogro era tan feo que daba miedo verlo. Tan pronto terminó de comer, el ogro se ocupó de cuidar a una pequeña gallina blanca que estaba recostada cerca de él en un cojín. Era la gallina de los huevos de oro.

Después, el ogro se durmió en un sillón. Juanito se apoderó entonces de la gallina ¿Qué hizo con ella?

24

Corrió hacia la planta de los frijoles mágicos. Pero el ogro se despertó al escuchar el ruido y se lanzó a perseguirlo. Por fortuna el descenso fue muy rápido. Cuando llegó a tierra firme, Juanito tomó un hacha y comenzó a derribar la planta mágica. El ogro cayó en medio de un gran estruendo que hizo temblar la tierra y se murió. Han pasado varios meses. La pequeña gallina blanca pone cada día un huevo de oro. Juan y su mamá están muy contentos. Ya no tienen por que preocuparse.

Juegos de salón

25

Todavía no hay sol. Los niños se aburren porque deben estar dentro de la casa... Pero... ¿Por qué aburrirse? ¿Y el juego de los chícharos? ¿Y el de ponerle la cola al burro? ¿Se les olvidó o no los conocen? Voy a recordarte como se juegan. Para el juego de los chícharos se necesitan diez chícharos para cada jugador, dos tazas y una pajita de las que se usan para tomar refrescos. El juego consiste en pasar rápidamente los chícharos de una taza a otra transportándolos con la paja por medio de aspiración. Está prohibido tocar los chícharos con las manos. Es un concurso de destreza y velocidad. Con un poco de entrenamiento puedes convertirte muy pronto en un experto.

26

El juego de la cola de burro requiere un poco más de preparación. Primero necesitas dibujar un burro en un cartón y fijarlo a un muro. Con un poco de lana para tejer puedes hacer la cola. Los jugadores deben colocar, con la ayuda de una tachuela, la cola del burro en el lugar que le corresponde en el dibujo. ¡Ah... lo difícil es hacerlo con los ojos vendados! Y cuando se tiene un pañuelo amarrado por arriba de la nariz ¡no es tan fácil atinarle! Pero se obtienen resultados sorprendentes y muy divertidos.

27. Un médico muy simpático

Hoy no es un día como los demás; esta tarde hay una fiesta de disfraces en la escuela. Desafortunadamente, Luis no se encuentra bien. Siente escalofríos, sus mejillas están muy coloradas y no para de estornudar. No hay duda, debe estar enfermo.

–¡Oh no!, dice, ¡No es posible! ¡Esto no puede continuar así! Tengo que curarme cuanto antes. ¿Qué puedo hacer? Mamá no debe saberlo, tengo que arreglármelas yo solo. Luis ha visto en la televisión que entre los indios, los brujos fabrican pócimas milagrosas con las cuales los enfermos se curan muy pronto.

–¿Y si lo intentara?, se pregunta.

28

Sin hacer ruido, Luis va a la cocina. Abre las alacenas, saca todo lo que le parece bueno: miel, canela, jarabe, mermelada, chocolate y muchas otras cosas más. Luego en un gran tazón mezcla los ingredientes y se toma la mezcla de un golpe. Después de un rato empieza a sentir fuertes dolores de estómago.

–¡Ay! ¡Ay! ¡Ay!, grita Luis. Yo creía que así se hacían las medicinas. ¡Rápido, hay que llamar a mamá... y al doctor!

Juguemos a la rayuela

29

La señora Cortés aprovechó
esta hermosa mañana para lavar su acera, y está
muy orgullosa de su trabajo.

–¡Vaya!, se ha hecho una cosa buena, dice con
satisfacción. Ahora voy a lavar toda esa ropa que
me espera.

Unos minutos más tarde, Nadia, Luis, Teresa y Alan
llegan saltando. Hoy no tuvieron clases y hace muy buen tiempo.

–¿Y si jugamos a la rayuela?, propone Teresa. ¡Tengo un pedazo de tiza!

–¡Y yo cuatro tejos!, dice el pequeño Luis buscando en sus bolsillos.

Las dos niñas trazan las líneas con la tiza en la acera. ¿Qué hacen los niños?

30

Discuten acerca de los tejos.

–¿Quién empieza?, pregunta Nadia.

En ese momento, la señora Cortés sale de su
casa y abre unos ojos enormes...

Los niños comprenden y bajan la cabeza. ¿Qué va a
pasar ahora?

–¡No es tan grave!, sonríe la buena María. ¡Pueden
jugar!

–¡Muchas gracias, señora! Responden los cuatro
chiquillos. Después le limpiaremos la acera.

–Muy bien niños, ¡esa sí es una buena idea, de
verdad que es una buena idea!

La zorra y el cuervo

Había una vez un cuervo muy orgulloso. Durante muchos días había vigilado al vendedor de quesos, quien llevaba repleta su canasta con ricos quesos de todas las formas y tamaños. El señor Cuervo, aprovechando la ausencia del comerciante, se acercó a la canasta y se llevó el queso que tanto codiciaba. El pájaro se mantenía erguido sobre la rama más alta de un árbol. Soñaba con la sabrosa comida que iba a saborear mientras sostenía el queso con su pico.

31

Al pie del árbol, una zorra avanzaba sin hacer ruido. Había percibido el olor del queso. Tenía mucha hambre pues no había comido nada desde hacía tres días. Como la zorra era muy astuta, se acercó al cuervo.
–¡Buenos días señor Cuervo!, dijo con voz dulce. ¡Su plumaje es magnífico! Pero no dice usted ni una palabra, ¡qué lástima! Porque su voz debe de ser bella y grave. El cuervo escuchó a la zorra sin contestar porque su pico seguía ocupado con el queso. La zorra muy gentil, continuó su conversación ya que quería oírlo hablar. Nada más sencillo, el cuervo abrió entonces el pico y... dejó caer el queso. La zorra, que estaba debajo del árbol, lo tomó rápidamente y fue a comérselo a un lugar tranquilo. El adulador vive a expensas de aquel que lo escucha.

1 Una broma

Pedro es un niño muy bromista, pero lo que hace no siempre es muy simpático. La última vez ¡intentó pintar de azul unos peces rojos! Había tinta por todas partes, afortunadamente papá estaba ahí para salvar, justo a tiempo, a los pobres peces.

Carolina y Sofía, las hermanitas de Pedro, tienen muy malos recuerdos de las travesuras que éste les ha hecho.

Pero hoy decidieron hacerle una broma. Pedro es muy goloso, todo el mundo lo sabe, le encantan los pasteles. Te apuesto a que se llevará una gran sorpresa...

2

Desde hace más de una hora, Carolina y Sofía están encerradas en la cocina y preparan su pastel sorpresa. Pedro grita impaciente.

–¿Ya está el pastel?

–Sí, ¡aquí está!, responden sus hermanas mientras colocan sobre la mesa un gran pastel. Se ve tan delicioso que Pedro no puede resistir la tentación de probarlo. Quiere cortar enseguida un gran pedazo. Pero... ¿Qué pasa? ¿Es imposible cortarlo? Lo que pasa es que Carolina y Sofía hicieron el pastel de yeso. ¡Qué decepción para Pedro!

Elisa va a Roma

3

"Todos los caminos conducen a Roma", dice el proverbio... pero para Elisa, la campanita, las cosas no son tan sencillas. Salió de su pueblo anteayer y ahora no encuentra el camino.

–Disculpe, señora golondrina, quisiera ir a Roma pero no sé como llegar...

–¡Vuele hacia el este!, le explica el amable pajarito, pase por arriba de los Alpes y llegará a Italia... Luego siga todo el camino derecho hasta llegar a Roma.

–¡Gracias y buen viaje!, contesta Elisa.

La campana emprende de nuevo su vuelo siguiendo las indicaciones de la golondrina.

–¡Allá están las montañas!, piensa. ¡Qué altas son! Afortunadamente no le temo a las alturas... ¡Cuánta nieve hay por aquí! ¡Y cuanto más alto subo más frío hace!

4

Elisa atraviesa las montañas nevadas.

–¡Atchuús!, estornuda nuestra amiga. ¡Me lo imaginaba, ya estoy resfriada!.

Al pasar por el valle, Elisa toma una bufanda que se encuentra colgada en una cuerda. ¡No quiere atrapar una bronquitis! Por fin la campanita llega a Roma para obtener su provisión de huevos de chocolate.

–¡Usted es la última!, le dice el tendero. Apresúrese a llevar sus paquetes, repártalos sin tardar... ¡Y no los pierda en el camino!

5
La gallina de los huevos de oro

Había una vez un granjero que se lamentaba constantemente porque sus gallinas sólo ponían un huevo al día. Primero trató de reemplazar su comida por granos especiales destinados a aumentar la producción de huevos, pero sin éxito. Las pobres gallinas hacían todo lo posible por complacerlo pero él nunca estaba satisfecho. Una mañana, al entrar al gallinero, vio brillar en la paja un hermoso huevo de oro. ¡Tenía una gallina que ponía huevos de oro! La tomó inmediatamente en sus brazos al mismo tiempo que se preguntaba si estaría soñando. Pero no, era verdad, la gallina estaba viva y se había vuelto muy importante para él.

6

Pronto la separó de las demás gallinas ponedoras y la acomodó en un lugar tranquilo donde pudiera sentirse a gusto. No dejaba de llevarle comida para que pusiera varios huevos de oro al día, y le hablaba sin cesar pidiéndole que aumentara su producción a toda costa. A cada instante la levantaba buscando entre la paja otro huevo de oro. La gallinita era muy paciente, pero un buen día se cansó. ¿Qué hizo entonces?

Como no tenía ni un momento de tranquilidad, decidió hacer algo: se acabarían los huevos de oro, sólo pondría un huevo normal cada día, como todas las demás gallinas.

7

Cuando el granjero se dio cuenta se enojó mucho, pero la gallina no cedió. Siguiendo su ejemplo, todos los animales que vivían en la granja exigieron que se les tratara con gentileza y dulzura amenazando al granjero con una huelga general.

La lección tuvo muy buenos resultados. Desde entonces, el granjero trató mucho mejor a sus gallinas. Comprendió que nunca debe explotarse a nadie, y menos a los más débiles.

¡Una vida de perro!

8

Princesa es una perrita blanca y negra que está muy bien cuidada por sus amos. Pero como toda la familia debe ir diariamente al trabajo y a la escuela, la perrita se queda sola.

Cuando hace un día bonito, Princesa prefiere estar tendida al sol cerca de su casita. Sin embargo hoy está lloviendo y todo el mundo se ha ido.

Princesa está arrepentida de haber pedido que la llevaran a su perrera.

Ahora está enfurruñada.

¿Hasta cuando van a regresar?, se pregunta al abrigo de su casita.

9. La distribución de los huevos de Pascua

¡Qué viaje! Nuestra pobre amiga Elisa, la campanita, está agotada pero ¡llegó a tiempo! A pesar de que tuvo que atravesar una tormenta de nieve, cruzar un desfiladero, y atrapar al vuelo el precioso paquete que se le había escapado... No obstante, Elisa llegó sana y salva a su hermoso pueblo.

Durante la noche, depositó los huevos en los jardines y después, al fin, tomó su lugar en el campanario.

Durmió como un lirón... Por la mañana temprano, el cura tiró de la cuerda y Elisa, muy dócil, despertó a los aldeanos sonando con fuerza. Los niños, con una canasta en sus manos, salieron corriendo al jardín y... ¿Qué descubrieron?

10

Por todas partes, se oían los gritos de los pequeños:
–¡Gracias campana! ¡Gracias por los huevos de chocolate!

Elisa, al ver los rostros radiantes de los chiquillos, olvidó su cansancio y las dificultades de su largo viaje hasta Roma... Las montañas, la nieve, las ráfagas de viento frío... todo valió la pena sólo por ver la alegría en los ojos de un niño.

Amiguitos, al pasar cerca de una iglesia, hay que sonreír siempre a la campana que está suspendida en lo más alto del campanario...

Seguramente eso le gustará mucho.

Nidos y nidadas

11

¡Pío! ¡Pío! ¡Pío! ¿Quién va y viene entre los matorrales? ¿Qué ocurre? Una tortolita salta alegremente sobre el césped, buscando gusanitos. ¡Vamos a verla de cerca! En el centro de un arbusto, al abrigo de los curiosos y protegido por las espinas, se encuentra un nido muy redondo y suave, confeccionado ¡con ramitas y plumas! Mamá tórtola se asustó cuando nos acercamos: ella está empollando cuatro

pequeños huevos con unas manchitas rosas. Pero ¡cuidado! No debemos molestar a la familia durante mucho tiempo, y sobre todo ¡no hay que tomar los huevos! Regresaremos dentro de unos días y podremos admirar un gran espectáculo: cuatro polluelos, con su gran pico abierto, dejarán que sus padres los consientan dándoles de comer con su pico.

12

¡Qué curiosos se ven los nidos! Los hay de todas clases: redondos, colgados de los árboles, sobre la tierra... Por ejemplo, ¿sabías que la polla de agua construye un nido flotante? ¿Y que el pájaro carpintero levanta su casa en el tronco de los árboles? La golondrina hace un nido de lodo en los canales de los techos y, a veces, se instala sencillamente, ¡en el interior de los establos! En primavera, todas las aves construyen o arreglan sus nidos. Muchas especies regresan a empollar siempre al mismo lugar y, en ocasiones, al mismo nido.

13

El huerto de Gilberto

El viejo Gilberto se fracturó un pie la semana pasada... Eso lo tiene muy desconsolado: ya no puede trabajar en el jardín...

Tina, Rosalía y Samuel discuten este asunto. Nos acercaremos y escucharemos lo que dicen...

–¡Me gustaría ayudar al viejo Gilberto!, dice Tina.

–Es muy amable con nosotros, agrega Samuel. Él me arregló mi bicicleta.

–Puesto que estamos de vacaciones, ¿por qué no le ayudamos a limpiar su huerto?, propone Rosalía.

–¿Y no sería mejor darle una sorpresa?, continúa Samuel.

–¡Buena idea!, aprueban sonriendo las niñas. ¿Vamos?

14

Los niños se ponen a trabajar enseguida... y dos horas más tarde la labor está terminada.

Los tres amigos, llenos de tierra, tocan en la puerta del viejo Gilberto quien refunfuñando, se levanta de su sillón, toma sus muletas y abre la puerta.

–¡Tenemos una sorpresa para ti!, dicen los niños. ¡Ven a ver!

Muy intrigado, el viejo Gilberto los sigue. Y, cuando ve su huerto, se le hace un nudo en la garganta.

Abraza a los tres niños que están muy orgullosos de su buena acción.

La naturaleza está de fiesta

15

En este mes, la naturaleza se vuelve hermosa. Se viste de colores, de flores y de perfumes... ¿Y si nos inspiramos en ella para embellecernos también?

Al mirar a nuestro alrededor pueden encontrarse mil ideas que nos ofrece la naturaleza para confeccionar trajes, alhajas y juguetes: una falda con helechos o con las hojas de un sauce llorón, un collar de margaritas, una pulsera de botones de oro, una peluca de hierbas secas, una corona de hiedra. Los niños prefieren hacer un arco para flechas con una rama de nogal y un pedazo de cuerda, o también una lanza, tallando la punta de un palo. Pocos objetos tienen tanto valor como los que fabricamos nosotros mismos.

16

Cuando el sol colorea las flores, también nosotros queremos alegrar nuestro rostro. Hay muchas formas de maquillarse: Por supuesto nunca deben usarse lapiceros o marcadores ni los productos de belleza de mamá si ella no nos da permiso. Si no tienes cerca maquillaje (de teatro, por ejemplo) piensa en la naturaleza. Con dos claras de huevo batidas puedes hacer una mascarilla, la aplicas sobre tu rostro y si después pegas sobre ella unas hojas o pétalos, lograrás una imagen muy alegre y con mucho colorido.

17

El gatito y el Cucú

–¡Ese pajarillo me pone nervioso!, piensa el gatito. La próxima vez que se atreva a mostrar la punta de su largo pico, ¡me lo como!

Pero el gato ignora un detalle muy importante: el cucú está hecho de madera y sólo sale de su nido para cantar las horas. El tiempo pasa y el gato espera.¡Tic! ¡Tac! ¡Tic! ¡Tac! ¡Tic! ¡Tac! De pronto, la pequeña puerta del péndulo se abre y aparece el pajarito.

–¡Cucú! ¡Cucú! ¡Cucú!

El minino se lanza inmediatamente y... ¡qué catástrofe! El péndulo se viene abajo y se hace mil pedazos en el suelo.

En lugar de comerse al pájaro, el gatito recibió unos azotes bien merecidos.

Piel de Asno

18

Había una vez un rey que estaba muy triste porque acababa de perder a su esposa a la que amaba con locura.

Tenía una hija que se parecía mucho a su madre. Como el rey no encontraba una nueva esposa que fuera tan bella como la reina muerta, decidió un día casarse con la hija que tanto le recordaba a su esposa desaparecida.

Pero la princesa no quería casarse con él y tampoco podía oponerse a los deseos de su padre. Por lo tanto, le contó sus penas a su hada madrina, quien le aconsejó que pidiera al rey, antes de desposarla, un maravilloso vestido del color de la luna. Unos días más tarde la princesita recibió un espléndido vestido color de luna. El tejido, muy ligero, estaba bordado con hilos de plata. Un manto, parecido a un velo, completaba el maravilloso traje. ¿Podría pedir otro deseo?

Siempre aconsejada por su madrina y deseando retrasar el día de su boda con el rey, la princesa pidió un nuevo vestido color de sol. Muy pronto le llegó un vestido fantástico. Estaba hecho con hilos de oro y resplandecía tanto como el sol. Al menor movimiento, el vestido brillaba con mil luces. Una gran cantidad de pequeñas partículas de oro adornaban el vestido y un cinturón de oro completaba el conjunto. La princesa, desesperada, le pidió entonces a su padre la piel del asno que cada mañana producía piezas de oro. Pero lamentablemente el rey no lo dudó y, al día siguiente, la princesa recibió la piel solicitada. Para ella era imposible casarse con el rey ¿qué le depararía el destino?

19

La princesa se quitó sus hermosos vestidos, se colocó la piel del asno y abandonó el palacio. Después de mucho caminar encontró trabajo como sirvienta en un albergue. Un día, un príncipe que pasaba por allí vio a Piel de Asno y observó sus manos finas y bellas. Durante la noche, por la ventana de su cuarto, el príncipe descubrió a la jovencita sin la piel del asno. La encontró tan hermosa que regresó todos los días al albergue y muy pronto le pidió que se casara con él. Ella le dijo que sí, entonces el príncipe fue al palacio real y le pidió al rey la mano de la princesa. Éste se puso tan contento al ver de nuevo a su hija que le ofreció una magnífica fiesta para celebrar la boda.

20

21

Una caja... de sorpresas

Como todos los días, Elisa sale de su casa para ir a revisar el buzón. Sin embargo esta mañana le espera una sorpresa. Entre los sobres, notó algo anormal.
–¡Vaya!, exclamó. ¿De dónde vienen esos cinco huevecitos?... No hay duda: seguramente se trata de una familia de pajarillos que ha encontrado el lugar ideal para hacer su nido. Esto es muy bonito, piensa, ¿pero qué debo hacer? Si se quedan pueden aplastarlos con las cartas y por otra parte no tengo corazón para sacarlos de aquí. Después de algunos minutos de reflexión Elisa se decide...

22

En el cobertizo del fondo del jardín hay una vieja caja, algunas tablas y herramientas.
–No se necesita más para hacer un buzón, piensa Elisa. Esto bastará mientras nacen los polluelos. Muy previsora, Elisa tiene la precaución de bloquear la puerta del primer buzón, dejando libre la abertura para los pájaros.
Pero también pone un aviso: ¡Cuidado señor cartero, éste es el nido de unos pajaritos!...

23 Una golondrina no hace la primavera

¡Ya regresaron las golondrinas! Son las mensajeras de la primavera. Las vi esta mañana con su espalda de color azul metálico y su pecho blanco. ¡Qué valientes son! ¿Sabías que salen de África y atraviesan los mares?

Cada año regresan a anidar al mismo lugar. Justo arriba de la ventana de mi cuarto han construido un nido de lodo seco. Pero no confundas a la golondrina con el vencejo. Podrás reconocer al vencejo por los grandes círculos que forma en el cielo. Cuando vuela por las alturas se dice que hará buen tiempo y cuando su vuelo es bajo, que lloverá.

24

¡Cucú!... ¡Cucú!... ¡Cucú!
¿Quién me llama desde lejos? Es el cucú en persona, un pájaro muy solitario que vive en el fondo de los bosques. Cuando canta, se dice que hará buen tiempo... ¡Aunque el cucú es muy perezoso! ¿Sabías que no construye su nido? ¡Prefiere poner los huevos en el nido de sus amigos! Piensa que ¡quien va de caza pierde su casa! Además, no empolla sus propios huevos, los confía a otros pájaros que cuidarán de sus pequeños. ¿Será por eso que se pasa la mayor parte del tiempo cantando?

Jardinería

25

—Es el momento de preparar la huerta, anuncia papá. La tierra se ha reblandecido y ya podemos labrarla. Mateo ayuda a su papá a preparar las herramientas del jardín: la azada servirá para cavar la tierra; el rastrillo y la pala para aplanarla. Una vez terminada esta dura labor, hay que plantar los granos.

—¿Qué legumbres te gustarían, Mateo?

—¡Yo prefiero los chícharos y las zanahorias!, responde el niño.

—Muy bien, pero también tenemos que plantar lechugas y papas, agrega su papá. Bueno, ahora vayamos al granero...

Mateo y su papá plantan las legumbres que compraron. ¿Cómo lo hacen?

26

Primero trazan surcos regulares en la tierra, siembran los granos y trasplantan las plantas de papa y lechuga. Papá enseña a Mateo las diferentes clases de legumbres:

—Hay unas que nacen bajo la tierra y otras que crecen en el aire. Las papas y las zanahorias, que tanto te gustan, son raíces. La lechuga y los chícharos son frutos.

—¿Cuándo podremos hacer una sopa?, pregunta Mateo impaciente.

Reír y pegar

27

Aquí tenemos una manera muy simple y divertida de estar ocupados en el mes de abril, "cuando es preferible no descubrirse ni un poquitín". Recuerda el refrán: "hasta el cuarenta de mayo no te quites el sayo". Vas a necesitar: papel, pegamento, tijeras y algunas revistas o folletos. No olvides pedir permiso antes. Con este material puedes hacer collages muy originales. Se trata de reunir elementos cortados en lugares donde "normalmente" no van juntos. Gracias al collage se puede, por ejemplo, colocar una vaca en una palmera o un camello en una montaña. Un caballo puede tener cabeza de león, o un león cabeza de niño...

28

Hay muchos medios para embellecer la montaña utilizando algunos pequeños elementos suplementarios. Así, para hacer un marco muy bonito y muy personal, puedes utilizar granos, tela, arroz, encaje, botones o incluso pedacitos de espagueti. Si quieres conservar por mucho tiempo tu collage, tienes que ponerle un soporte rígido. Cuando más cargado esté tu trabajo más duro deberá ser el soporte. Ahora es tu turno de jugar... con arte, audacia y ¡sentido del humor!

La liebre y la tortuga

29

Había una vez una liebre muy joven que vivía en el campo. Era muy bonita y ágil pero despreciaba a todos aquellos a quienes la naturaleza no había dotado de tantas cosas buenas como a ella. Se divertía burlándose de los demás y sus palabras eran a veces muy hirientes. Con frecuencia atacaba a una tortuguita

—Tú no tienes nada de elegante, le decía. Mira tus patas, tan cortas, tu cabecita y esa lentitud con la que caminas.

Un día, la tortuga se cansó y le reprochó sus continuas burlas.

—Tú crees que corres muy deprisa, con tus patas largas; pero las mías aunque sean cortas, me llevan también muy rápido.

30

Haremos una apuesta: te venceré en unas carreras. La liebre se echó a reír.

—De acuerdo, respondió confiada en su velocidad.

El zorro fue nombrado árbitro y la carrera empezó. La tortuguita no perdió el tiempo y se dedicó a caminar lo más rápidamente que le permitían sus patas. La liebre, despreciando a su adversaria se durmió sobre la hierba. Tendré todo el tiempo del mundo para llegar primero, se dijo. Mas cuando se despertó, la tortuguita había pasado la línea de llegada: de nada sirve correr, hay que salir a tiempo.

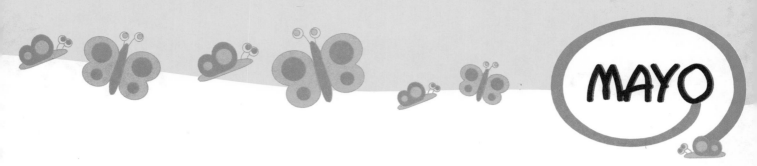

El día del trabajo

1

"El primer día de mayo, los hombres celebran el Día del Trabajo, ¡y no trabajan!"

–¡Pero también es la fiesta del lirio del valle!, dice Sofía. Yo sé donde podemos encontrarlo...

–¿Dónde?, pregunta Luis.

–En el bosque del padre Mateo, bien escondidos entre las rocas. ¡Vamos a cortarlos... y luego los venderemos para comprarnos dulces!

–¡Buena idea! Aprueban sus dos hermanos. ¡Vamos!

Nuestros tres amigos se dirigen al bosque y llegan rápidamente al lugar descubierto por Sofía. Sin detenerse empiezan a cortar las florecitas y sus largas hojas verdes y brillantes.

De regreso a la ciudad, van de puerta en puerta para vender las flores. Una hora más tarde ya las han vendido todas y los niños han recolectado mucho dinero.

¡Eric, Sofía y Luis se dirigen entonces a la tienda y admiran los dulces que están colocados en los estantes!

–¡Maravilloso!, dice Luis.

–Pero como dice el maestro, ¡están llenos de colorantes!, agrega Eric.

–Sí, suspira Sofía. Mejor pagamos la inscripción para ir a la piscina...

–¡Es mucho mejor para la salud!, responden sus hermanos sonriendo.

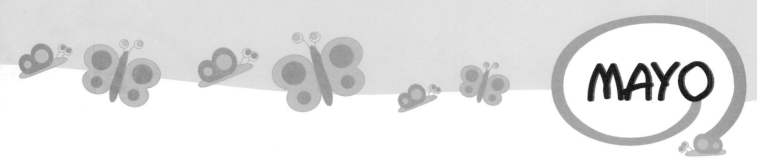

2 Los tréboles de cuatro hojas

El pequeño Félix ha oído decir que los tréboles de cuatro hojas dan buena suerte. Por ello el niño se dedica a buscarlos sin descanso en los prados que hay cerca del vecindario.

–¿Qué haces Félix?, le pregunta una vieja vaca negra.

–Corto tréboles de cuatro hojas. ¡Dan buena suerte!

–¿Sabes una cosa? Yo he comido muchos y nunca me han dado buena suerte. En lugar de perder el tiempo metiendo tu nariz en las hierbas, sería mejor que ayudaras a tu mamá en los trabajos de la granja... Le darías así una gran alegría. Félix reflexionó durante unos instantes, después siguió los consejos de Negrita. Y nunca se arrepintió.

Los tres cerditos 3

En una ciudad muy lejana vivían tres cerditos. Cada uno de ellos se había construido una casita. El mayor la había hecho de paja, así que era poco sólida, sin embargo la había terminado muy pronto porque no le gustaba trabajar. La casa del mediano era de madera, más sólida, pero como también era muy perezoso se había conformado con pegar todas las tablas en vez de clavarlas bien. El más pequeño vivía en una casita hecha con ladrillos. Había tardado muchos días en construirla.

Los muros eran gruesos y sólidos, las ventanas cerraban muy bien y la puerta de entrada estaba perfectamente asegurada. La casa de ladrillos era muy resistente. Los dos cerditos mayores se burlaban con frecuencia del más pequeño.

4

–¿Tú no piensas nunca en divertirte?, le decían.

Nosotros, cantamos y bailamos todo el día, eso es más agradable que trabajar.

Un día, llegó un lobo. Los tres cerditos se fueron a cobijar en sus casas. El lobo se acercó primero a la de paja y empezó a soplar sobre los muros que volaron muy pronto.

El mayor de los cerditos corrió a pedir asilo a la casa de madera.

¿Atacaría ésta también el lobo?

5

Pues sí, y los dos cerditos estaban muy asustados. Lograron huir y se refugiaron en la casa de ladrillos. El lobo, enojado, atacó la tercera casa, pero todo fue en vano. Su propietario había trabajado muy bien. La casa resistió y el lobo tuvo que marcharse con las manos vacías. Los dos cerditos mayores reconocieron que habían cometido un error al burlarse del más valiente de los tres. Pronto construyeron una casa muy sólida y el lobo ya no regresó jamás.

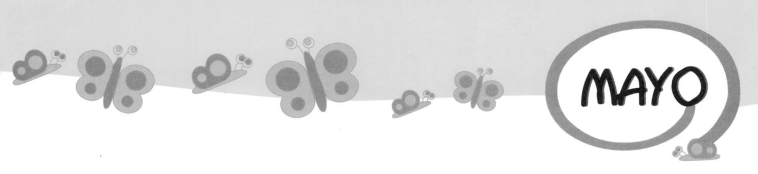

6 De la oruga a la mariposa

¡Oh! ¿Pero qué es esa hermosa flor que vuela? No es una flor, ¡es una mariposa! Hace unos meses, la mariposa era todavía una oruga, un pequeño y extraño animal cubierto de pelos. Para evitar congelarse, la oruga se transformó en crisálida y pasó todo el invierno colgada de la rama de un árbol. Ahora que el buen tiempo ha regresado, la magnífica mariposa despliega sus alas y puede salir de su envoltura. ¿Ves como se alimenta con el néctar de las flores? A su vez, mamá mariposa pondrá sus huevos en los huecos de las ortigas. Sus huevos se transformarán en orugas, luego en crisálidas y por fin en mariposas...

7

¿Y si vamos a cazar mariposas? Para ello necesitas una red amarrada a un palo y un frasco de boca ancha que cubrirás con una tapadera perforada con varios agujeros. Acércate lentamente a una flor sobre la que se haya posado una mariposa y ¡hup!... ¡Se escapó!

¡Qué difícil es! La mariposa es muy arisca. Si a pesar de todo llegas a capturarla, contempla sus magníficas alas, pero déjala ir de inmediato. Las mariposas tienen una gran necesidad de libertad y de espacio...

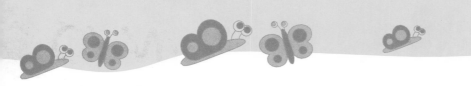

Pirulí, el pajarito

8 Pirulí es un pajarito que vive en el campo. Un día encontró a una gaviota pretenciosa que le dijo:

—¡Qué vida tan pobre la tuya, Pirulí! Mira que pasar todo tu tiempo volando de árbol en árbol sin ver nunca otra cosa. Yo al menos conozco el mar y los grandes espacios...

—Es verdad, pensó Pirulí suspirando. Siento que papá y mamá no estén de acuerdo, pero necesito irme de aquí a conocer otros mundos. Ya no puedo soportar esta vida tan monótona. Dicho y hecho. Muy orgulloso, Pirulí remontó el vuelo y atravesó el arroyo y el río hasta llegar al mar.

—¡Qué maravilla!, dijo fascinado, olvidando la fatiga del viaje.

9 Los primeros momentos que Pirulí pasó en el mar fueron fantásticos. Sentía que todo era más hermoso que en el campo. Pero cuando cansado trató de posarse y buscar alimento, empezaron los problemas. De acuerdo con los consejos de la gaviota se posó primero en el mástil de un barco.

—¡Qué horror!, pensaba. ¡En mi bosque los árboles no se mueven!

Luego quiso probar el pescado.

—¡Puf!, exclamó con repugnancia. Nunca podría comerlo.

La verdad es que en su casa no estaba tan mal.

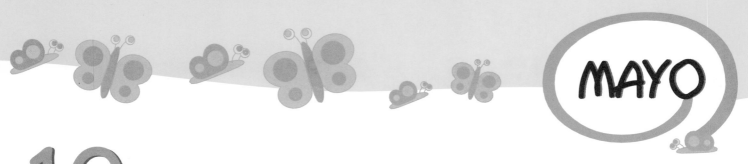

10

El día de las madres

Cada año, en el mes de mayo, se celebra la fiesta de las madres. Papá, Jéssica y Estefanía ofrecen su regalo a mamá y la abrazan de todo corazón.

Sólo Gisela no tiene nada que darle: ¡Se compró chocolates con su dinero!

Sin una palabra, la niña sale de casa pensando en la manera de hacerse perdonar su olvido... Sus pasos la llevan al campo. Las vacas están rumiando apaciblemente; el granjero y su perro conducen las ovejas hacia los pastos...

–¡Tengo una idea!, exclama de pronto Gisela. ¡Cortaré un ramillete de lindas flores silvestres para mamá!

Y empieza de inmediato su tarea...

Nuestra amiga regresa a casa corriendo y se encierra en su habitación.

Algunos minutos más tarde, Gisela va a buscar a su madre a la cocina... Con las manos escondidas tras la espalda, los ojos bajos y el corazón latiendo con fuerza, la niña explica:

–Compré chocolates con mis ahorros y olvidé tu fiesta...

Después se acerca a su mamá y le pone una diadema adornada con flores silvestres en el cabello.

–¡Te quiero mucho mamá!, dice la niña con voz muy dulce.

–¿Me quieres más que al chocolate?

–¡Claro!, sonríe Gisela abrazándola muy fuerte.

–Entonces te perdono, cabeza de chorlito, le dice mamá feliz.

Lucas y su ping-pong

11

Los abuelos de Lucas regresaron de vacaciones y le trajeron un regalo. ¡Un juego de ping-pong!

El niño agradeció el obsequio y decidió ir a mostrarlo a sus amigos... Se dirigió al parque donde se encontraban los niños del barrio.

—Miren, dijo con orgullo. Mis abuelos me trajeron un ping-pong.

—¡Qué bien!, respondió Juan.

—¿Jugamos?, preguntó Sebastián.

—¡Ah no!, replicó Lucas secamente. ¡Es mi juguete! Sólo puede verse...

Después colocó el paquete sobre el suelo, lo desenvolvió, sacó un par de raquetas y empezó a golpear la pelota.

Los espectadores estaban muy aburridos...

12

Uno a uno fueron alejándose hasta dejar solo a Lucas. Entonces comprendió... y acercándose a sus compañeros les propuso un torneo.

—¡Somos ocho! El número ideal para los cuartos de final.

—¡De acuerdo!, aceptó el pequeño Pedro.

—¡Vamos a echarlo a la suerte!, agregó Sergio.

—¡Hay que despejar la pista!, gritó Roberto.

Los jugadores van a subir al terreno de juego.

¡Qué ambiente! Parece que estamos en un torneo oficial.

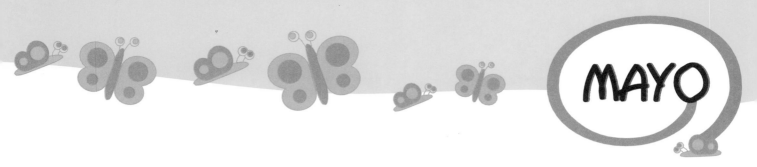

13

La magia del maíz

Aquí tenemos una receta que está muy de acuerdo con la imagen del mes de mayo, cuando toda la naturaleza se abre y extiende. Se trata de las palomitas de maíz. Para hacerlas sólo necesita, aceite, granos de maíz y un poco de sal. Vierte el aceite en una sartén hasta que se caliente, después coloca los granos de maíz. Como por arte de magia verás como bajo el efecto del calor, los granos de maíz se transforman, se esponjan y... ¡saltan! Para evitar que vuelen por toda la cocina es necesario cubrir con una tapadera la sartén mientras estalla el maíz. Cuando todos los granos estén esponjados, ponles un poquito de sal, las palomitas no sólo son sabrosas, también son muy decorativas. Ahora comprenderás por qué...

14

Toma una pajita verde que tenga más o menos quince centímetros de largo. Pega sobre ésta las palomitas más blancas. Con un poco de papel verde forma y recorta dos hojas y pégalas en la base de la pajita. ¿Acaso no parece una hermosa ramita de lirio del valle?

También puedes pintar las palomitas de rosa con un poco de colorante vegetal. Lograrás un bello efecto si después las colocas sobre las espinas de una rama de espino. Sólo necesitas una fuente de aluminio llena de tierra para hacer un bonito jardín donde puedes plantar tus creaciones.

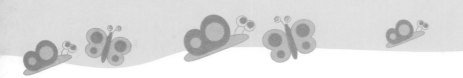

Flores de la buena suerte

15

"Hasta el cuarenta de mayo no te quites el sayo." ¿Conoces ese refrán? Significa que en mayo ya no corres el riesgo de sentir frío. El cielo es más azul y el sol te hará una cálida compañia. ¡Vamos al bosque, debe haber lirios del valle en esta época del año! Busca muy bien al pie de los árboles altos y descubrirás esas flores, son como unas hermosas campanitas blancas.

El lirio del valle es de buena suerte. Cada año se ofrece una ramita a mamá o a la novia. La verdad es que todas las flores son bonitas y siempre es un placer recibirlas... En el mes de mayo no dudes en hacer un magnífico ramillete de flores silvestres. Córtalas por la parte más baja del tallo, con cuidado para no dañar las raíces. Colócalas en un vaso lleno de agua. Verás que esas paqueñas flores multicolores aportarán alegría y colorido toda la casa... ¿Y si cultivaras una primavera? Levanta con una cuchara el terrón de tierra que rodea la raíz de la flor. Plántala en una maceta llena de tierra hasta la mitad, coloca la maceta en el soporte de la ventana y riégala con un poco de agua regularmente, la primavera florecerá durante mucho tiempo...

16 ✿ La pesca

¡Cuántas cosas pasan en el estanque! ¡Qué movimiento! Es el punto de reunión de todos los animales. Se oye piar por todos los rincones. La liebre y los conejos vienen a lavarse un poco mientras que los corzos llegan a calmar su sed. Las ranas saltan de nenúfar en nenúfar, croando. Los peces hacen cabriolas sobre el agua, atrapando furtivamente a moscas y mosquitos. Pero, ¡cuidado!, ¡una garza se prepara para realizar una pesca milagrosa! Con su largo pico escondido entre las alas es capaz de inmovilizarse durante una hora mientras espera que un pequeño pez salga de su refugio... Y ¡glup! De un tirón la garza engulle a su presa.

17

–Vamos a pescar, le dice su abuelo a Mateo.
–¡Yuupii! ¡Vamos! Pescaremos unas hermosas truchas...
–Con calma muchacho. Aprende que la primera cualidad de un pescador es la paciencia.
El abuelo coloca sus aparejos al borde del estanque. Después sujeta bien un gusano blanco en la punta del anzuelo y lo lanza con toda su fuerza. Al cabo de algunos minutos, un pez muerde la carnada. El abuelo lo saca del agua. ¡Qué sorpresa!
–¡Una trucha!, exclama feliz.

El arco iris

18

¡Vaya, ahora llueve! Hace cinco minutos el cielo estaba muy bonito.

Sin embargo el sol no ha desaparecido: juega a esconderse entre las nubes. Míralo ahí sale otra vez muy vivaracho.

—¡Qué bellos colores en el horizonte! : ¡es el arco iris! Cuando acaba de llover, la refracción y reflexión de los rayos del sol sobre las pequeñas gotas de agua suspendidas en la atmósfera forman un arco de siete colores.

—Recuerda el nombre de esos colores y píntalos en una hoja de papel: rojo, naranja, amarillo, azul oscuro, azul, verde y violeta. A este conjunto de colores se le llama espectro solar. Cuando todos estos colores están reunidos forman el blanco. Tú mismo puedes lograr que aparezca un arco iris...

19

Toma un espejito y sumérgelo parcialmente en un vaso de agua. Oriéntalo de manera que la luz del sol caiga exactamente sobre el espejito. Enseguida coloca una hoja blanca de papel bajo el reflejo de luz. ¡Verás los siete colores del arco iris! También puedes preparar un vaso de agua jabonosa al que debes agregar gotas de esencia. Haz burbujas, serán gruesas y mucho menos frágiles. ¿Has notado que en cada una de ellas, el espectro de los colores aparece claramente?

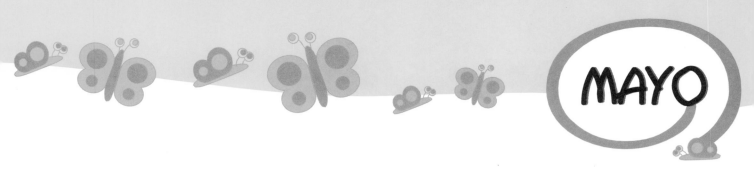

Los nenúfares

20

A July le gustaría regalarle nenúfares a su madrina.

¡Nenúfares! Qué idea tan extraña dirán ustedes... Pero a la niña siempre le han gustado esas flores raras que flotan tranquilamente en la superficie de los estanques. Por ello, a pesar de que sus padres se lo han prohibido, July va a cortarlas... Con ayuda de una rama larga, nuestra amiga trata de atraer hacia ella las flores. Sin embargo, como la orilla está muy resbalosa, se produce el desastre: July cae al agua. Por fortuna sabe nadar muy bien... pero eso no impide que su ropa quede empapada y llena de lodo. Nuestra amiga logra llegar a la orilla sin haber podido recoger ni un solo nenúfar...

21

Con la cabeza baja, July regresa a su casa y trata de explicar a su mamá la aventura que ha vivido.

–Yo sólo quería cortar algunos nenúfares para mi madrina y...

Pero mamá no escucha todas las explicaciones de la desobediente niña y le da un buen regaño... Después de un baño caliente para evitar una bronquitis y una taza de leche hirviendo endulzada con miel.

–La próxima vez, piensa July, me conformaré con cortar claveles o margaritas.

Picnic

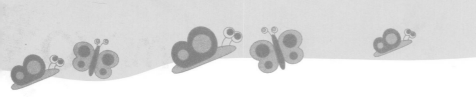

22

¡Qué hermosos día! El tiempo es excelente para ir a un picnic.
Pedro, Ana e Isabel han decidido merendar todos juntos en el bosque.

–Yo llevaré los panecillos, dice Ana.

–Y yo, la leche, responde Isabel.

–Propongo que llevemos algunas frutas, dice Pedro.

Los tres van con sus provisiones en una canasta.
Antes de llegar al bosque cruzan un gran prado
donde unas mamás ovejas acaban de tener a sus pequeños.

–¡Qué graciosos son!, exclama Isabel. Parece que tienen hambre.

–¿Y si les damos un poco de pan?, sugiere Ana. ¡Qué placer ver como todas las
ovejitas saborean nuestra deliciosa merienda!

23

Un poco más lejos, unos pajarillos se
pelean por un pedazo de manzana. Sin dudarlo, Pedro
saca las frutas de su canasta y se las da a los pájaros
diciéndoles:

–¡Así ya no se pelearán!

En los linderos del bosque, un último encuentro hace
que se detenga el grupo:

–¡Oh, un gatito abandonado! No lo podemos dejar así
¡Pronto, debemos darle la leche que nos queda! Eso
nos dejará lugar en la canasta para llevar al gatito a
casa. Regresaremos con el estómago vacío, ¡pero con
el corazón lleno de amigos!

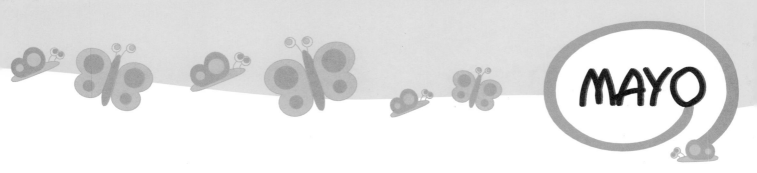

Las nubes

24

Eric contempla el cielo, está lleno de nubes. Una nube es un montón de minúsculas gotas de agua suspendidas en el aire. Esas gotas provienen de la evaporación del agua del mar, pero también de los bosques y de los campos. Cuando esas gotitas son muy abundantes, caen con más o menos fuerza. Entonces llovizna o llueve. Y cuando hay neblina, ¿sabes que caminas en el corazón de una nube? Observa las nubes. Si ves gigantescos grupos de nubes con la base sombría y la parte superior en forma de yunque, es que va a llover. En cambio, si el cielo está aborregado, es señal de que hará un hermoso día.

25 Carrera de obstáculos

En este mes de mayo, para aprovechar la oportunidad de estar al aire libre y gozar del buen tiempo, es conveniente hacer un poco de ejercicio. Pero si cerca de casa no existe un lugar apropiado, ¿qué hacer? Pues bien, siempre hay forma de improvisarlo. Por ejemplo: un recorrido con obstáculos. Aquí te damos unas sugerencias que te animarán a saltar o a escalar... con alegría. ¿Por qué no imaginar que tienes que atravesar un río saltando entre las dos orillas simuladas con unas cuerdas dispuestas en forma paralela sobre el suelo y a cierta distancia? Trepar por encima de una silla o entre los barrotes de una escalera colocada de lado es también muy buen ejercicio...

26

También puedes:

—Pasar por un río imaginario caminando sobre periódicos separados entre sí, ¡sin poner los pies en el suelo!

—Dar saltos de altura por encima de una cuerda de brincar dispuesta de manera flexible sobre dos sillas suficientemente separadas.

—Caminar un circuito corto con un objeto colocado sobre la cabeza.

—Lanzar un proyectil (la piña de un pino, por ejemplo) hacia un blanco o un recipiente...

Hay muchas posibilidades...

¡Prepararlas ya es divertido!

La garza

27

Una garza, caminando sobre sus largas patas, se marchó un día sin rumbo fijo. Caminó por toda la orilla del río. Era un día muy hermoso. Por el río vio pasar una carpa y luego un lucio. La garza hubiera podido atraparlos sin dificultad, pero pensó que era mejor esperar a tener un poco más de apetito. Comía sólo cuando tenía hambre. Después vio cruzar unas tencas muy cerca de ella. El menú no le gustó, por ello decidió esperar a que pasara algo mejor.

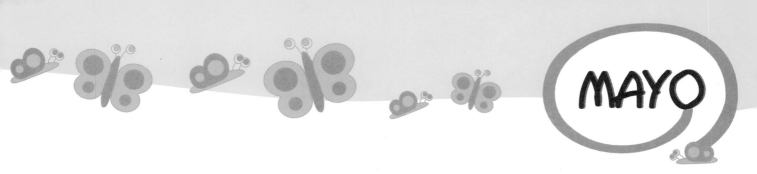

28

Se mostraba desdeñosa. ¿Comer tencas yo? ¿Por quién me toman? No es comida para una garza, dice, y continúa su camino. Pero pasó el día sin que viera otro pescado. La garza empezó a sentir hambre. Mientras tanto se hizo de noche, La garza caminó a través del campo en busca de un poco de comida, arrepentida por haberse mostrado tan remilgosa cuando podía escoger. Cuando al final encontró un pedazo de pan duro se sintió muy contenta.

No debemos ser tan difíciles: se corre el riesgo de perder todo al querer ganarlo todo.

29

La pastora de ocas

Al joven príncipe Andor le gustaba mucho pasear solo por el bosque. Un buen día se encontró con una viejecita que estaba sentada sobre una gran piedra. A sus pies tenía dos canastas muy llenas y pesadas.

—Me siento muy cansada, le dijo la anciana al príncipe, ¿podría llevarme a cuestas hasta mi casa? El joven hizo lo que la viejecita le pedía y así llegaron a la casita.

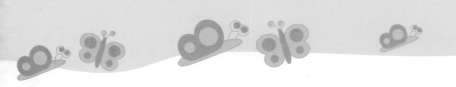

30

En la casa, una jovencita, más bien fea, cuidaba las ocas. La viejecita agradeció al príncipe su bondad y le pidió que aceptara una perla.

–Le dará mucha suerte, le dijo con aire misterioso. Cuando el joven regresó a palacio, le mostró la perla a la reina. Cuando ésta la vio, empezó a sollozar, al reconocer la joya que le había dado a su pequeña hija quien había desaparecido misteriosamente muchos años atrás.

Mientras tanto, la viejecita hacía una extraña revelación a la pastora.

31

–Por su generosidad, el príncipe te ha liberado de un encanto, le dijo. Ve a mirarte en las aguas del estanque y recobrarás tu hermosos rostro. Después le pidió que se pusiera un precioso vestido.

En palacio, el rey y la reina decidieron ir a casa de la viejecita. Por el camino explicaron al príncipe que habían perdido a su pequeña hija cuando daban un paseo por el bosque. Fue así como la princesita encontró por fin a su familia. Ahora vive en el palacio con sus padres y con la viejecita que la cuidó durante tantos años.

1. Ricitos de oro y los tres ositos

Había una vez una niña que tenía el cabello muy hermoso, rubio y muy rizado. Por esa razón todos la llamaban Ricitos de Oro. Lo que más le gustaba era ir a pasear sola por el cercano bosque. Sus padres le recomendaban mucho que no saliera nunca sola y, sobre todo, que no se fuera sin permiso. Pero Ricitos de Oro siempre hacía su voluntad.

Un día llegó a un claro del bosque y allí descubrió una casita encantadora. La niña se encontraba muy cansada y no vio a nadie por los alrededores. La puerta estaba abierta, así que entró sin preocuparse por nada. Todo estaba muy limpio. Lo primero que vio fueron tres sillones; uno pequeño, uno mediano y uno grande.

2.

Se dirigió a la cocina. Un rico aroma a sopa recién hecha salía de tres platos colocados sobre la mesa: había uno pequeño, uno mediano y uno grande.

–¡Humm!... dijo Ricitos de Oro. Es mi platillo favorito.

Y sin pensarlo dos veces, se puso a comer. Luego continuó su visita; subió al primer piso y vio una habitación muy grande con tres camas: una pequeña, una mediana y una grande. Sintió de pronto tanto sueño que se acostó en la cama más pequeña. Cuando despertó advirtió que toda una familia de osos la miraba con asombro.

3  Los osos estaban tan sorprendidos como ella. Por fin Ricitos de Oro se dio cuenta de su imprudencia y estalló en sollozos. Pero mamá osa se inclinó hacia ella y con voz muy dulce le explicó que vivían allí y que los tres habían ido a dar un paseo por el bosque. La llevarían a su casa donde sus padres estarían esperándola muy preocupados.

La niña se secó las lágrimas y acompañada por los osos llegó muy pronto a su casa. Desde entonces es la mejor amiga del osito.

4 # Una partida de cartas

El tío Julio juega a las cartas con sus sobrinos y sobrinas.

–¡El vencedor recibirá una soberbia recompensa!, les anunció.

–¿Qué será?, preguntó Nancy.

–¡Una medalla! ¡Aquí está!

Todos los niños admiraron la pieza de metal dorado con una larga cinta tricolor. ¡Magnífico!

–¡Que gane el mejor!, exclama Lucas barajando las cartas.

La partida empieza.

5 Los jugadores están muy contentos. El tío Julio anota todos los puntos de cada juego, luego los suma al final de la partida. Rolando es el vencedor y recibe su recompensa.

Los otros jugadores se enojan, menos Ana. Entonces el tío Julio decide:

—¡Ana aquí tienes tu regalo!, exclama ofreciéndole una gran naranja!

—Pero ella no ganó, reprocha Celia.

—No, pero al contrario de los demás, Ana perdió con una sonrisa, respondió el tío Julio. Y eso, en mi humilde opinión, es una gran cualidad.

6

La tienda de flores

¡Qué hermosas son las flores! Bueno, como son tan bellas siempre tratamos de imitarlas. En Bélgica, en el Mar del Norte, los niños se dedican cada día a un juego diferente. Llenan las playas con puestos de flores de papel que "venden" a los otros niños a cambio de guijarros y caracolas. ¿Pero sabes qué material debes utilizar para hacer flores de papel?

7

Para hacer flores de papel se necesitan: tijeras, hilo de alambre muy delgado, papel crepé de diferentes colores y unos palitos muy delgados. Se cortan primero los pétalos sobre largas tiras de papel de color, después se enrolla cada tira sobre sí misma. La flor se fija al tallo con el alambre. Por último debe cubrirse el tallo con papel crepé verde. Es evidente que pueden variar los cortes: si se hacen pétalos pequeños y rizados en los extremos, pueden lograrse, por ejemplo, unos hermosos crisantemos.

¿Miedo a los reptiles?

8

Aquí tenemos a un animal muy simpático. Es la lagartija que le gusta calentarse al sol, sobre una piedra. Si hace frío se adormece, pero si hace calor se siente llena de vida y se desplaza a toda velocidad. ¿Has tratado de atraparlas? La lagartija no sólo es rápida como el rayo sino que posee un medio de defensa muy eficaz. Si la detienes por la cola, ésta se desprende.
–¡Qué ingenioso! ¿no?

9

¿Por qué le tenemos miedo a las serpientes?
¿No será porque conocemos mal sus costumbres? ¡Vamos, valor!
Hay que observarlas con cuidado y quizá así nos asustarán menos. Las más comunes son la culebra y la víbora. Es muy importante distinguirlas: la culebra no es venenosa, mientras que todas las víboras sí lo son. La víbora es más pequeña y tiene la cabeza triangular. La cabeza de la culebra es ovalada. La culebra silba, la víbora no. Además, nada y sube a los árboles, al contrario de la víbora que sólo se arrastra por el suelo.

¿Dónde están las fresas de los bosques?

10

– ¿Adónde vas, Carlota?, pregunta mamá.
– Voy a recoger fresas al bosque, responde la niña. Encontré una canasta en el sótano.
Así, Carlota sale de su casa para hacer la recolección. El día está tan hermoso y cálido que tiene que ponerse un sombrero para protegerse del sol. No necesita mucho tiempo para llenar su canasta. Todo marcha muy bien. Sin embargo...

Carlota no se dio cuenta, cuando tomó la canasta, de que en ella había un invitado: un ratoncito. Para un ratón es muy cómodo viajar meciéndose pero después de la siesta, dan ganas de mordisquear algo. Por ello, mientras Carlota llena la canasta, su invitado clandestino la vacía. La niña no se da cuenta de nada. No obstante, al regreso... ¡qué sorpresa!

11

–¡Deberías haber compartido conmigo el banquete, pillo!, dice Carlota. Mañana tendrás que ayudarme, ¿de acuerdo?

El día del padre **12**

El mes pasado, agasajamos a mamá. En junio es la fiesta de los padres, aunque yo no espero especialmente ese día para decirle a papá cuanto lo quiero. Mi papá es como mi hermano mayor, le cuento mis penas y mis alegrías, así como mis sueños... Cuando tengo miedo, me abrazo contra él y me tranquiliza... Si lloro, me consuela. Yo deseo a todos los niños de la tierra que tengan un papá como el mío.

Sigue la huella

13

Si hay un mes ideal para jugar a seguir huellas, es el mes de junio. El juego es algo así como la historia de Pulgarcito, donde es necesario encontrar un camino gracias a las señales colocadas con anticipación. Un primer grupo de jugadores parte por delante para colocar las huellas. Pueden hacerse en forma de flechas, con pedazos de lana o de periódicos... que se ponen en lugares clave para indicar a los demás el camino. El segundo grupo debe esforzarse por seguir esas huellas y atrapar a quienes las pusieron (sin olvidar recoger las señales). Esto ya es de por sí muy divertido, pero las dificultades pueden ser mayores.

14

A todo lo largo del juego de seguir huellas pueden dejarse mensajes que obligan a los seguidores a realizar pruebas: traer la rama de un nogal, hacer equilibrios sobre un tronco, encontrar un tesoro escondido en los alrededores, etc. Es particularmente emocionante terminar el juego con una competencia entre los dos grupos, como por ejemplo, jugar al escondite.

También es posible transformar el juego en aventuras escogiendo un tema: Robin Hood, los indios y los vaqueros... ¡Es más divertido soñar un poco!

Las frutas rojas

15

Después de haber terminado su
tarea, Carolina y Silvia van a pasear
por los prados.
Un día descubren en el muro de una vieja granja
cuatro arbustos llenos de hermosos racimos de
frutas rojas que maduran al sol.
—¡Qué apetitosas se ven!, dice Silvia con avidez.
—¿Las probamos?, propone Carolina.
Las niñas se acercan, extienden los brazos, cortan
algunos frutos y prueban.
—¡Deliciosas!, afirma Silvia.
Nuestras amigas se dan un buen atracón y olvidan el consejo de mamá: ¡Hay que
lavar las frutas antes de comerlas!

16

—¡Ya debemos regresar!
Mamá y papá nos esperan
para la cena.
Una vez en casa, las pequeñas exploradoras
sienten unos fuertes dolores en el vientre.
—¿Qué pasa?, se inquietan sus padres.
Las niñas confiesan su travesura:
—Comimos demasiadas frutas rojas... y no las
lavamos.
—¡Que esto sirva de lección!, dice papá. En lugar
de cena tendrán que conformarse con una gran
taza de té bien caliente.

La siega

17

Juan, el agricultor, tiene trabajo para rato. El tiempo está seco desde hace quince días, así que decide recoger el heno de sus campos.

—La hierba está muy alta, piensa Juan. Es el momento de cortarla...

Prepara su tractor y engancha una segadora. Mateo lo observa muy atento.

—¿Qué hará con esa hierba que huele tan bien?, le pregunta.

Luego monta a horcajadas sobre su bicicleta y sigue la conversación con el campesino.

—Esta hierba es muy buena para el ganado, le responde. Cuando se haya secado haré unas pacas que almacenaré en el henil. Así, mis vacas estarán satisfechas todo el invierno, Si quieres, ven a ayudarme a acarrear las pacas pasado mañana...

18

Al tercer día, Mateo acude a la cita. Juan el agricultor, al volante de su tractor, rastrilla el campo. Hermosos fardos de heno salen de la máquina sólidamente amarrados.

—Toma una horca, le dice a Mateo, y deposita cada fardo en la carreta. Después iremos a acomodarlos en el henil.

—¡Qué pesado está!, responde Mateo.

—En tiempos de mi abuelo, le explica Juan, todo el trabajo se hacía a mano. Así que no te desanimes, pequeño

La lechera y el cántaro de leche 19

Alicia, una joven granjera, se dirigía a la ciudad. Hacía muy buen tiempo. Iba a vender leche y caminaba muy erguida con un cántaro colocado sobre la almohadilla que llevaba en la cabeza. Mientras caminaba pensaba en todo el dinero que la venta de la leche le proporcionaría. Podría comprar un centenar de huevos, mandarlos a empollar y tener gallinas que, a su vez, se convertirían en gallinas ponedoras y ella vendería después los huevos.

También tendría pollos que cuidaría frente a su casa, allí podrían correr y su carne sería de lo mejor. Así, los vendería más caros.

¿Qué podría comprar después con las ganancias?

20

–Un cerdo, no resulta muy caro de alimentar, se conforma con los restos de comida, pensaba Alicia. Cuando esté gordo lo venderé para comprar una vaca y un becerro, y los veré saltar por la hierba. Al llegar a este punto, Alicia saltó también. La leche cayó: ¡adiós becerro, vaca, cerdo, pollo...! La granjera, al ver su fortuna así desperdiciada, regresó muy triste a la granja y su esposo se enojó mucho con ella.

No es prudente hacer demasiados proyectos insensatos. No siempre es bueno soñar despierto.

El verano

21

¡Hoy empieza el verano! La estación más caliente del año. El sol salió muy temprano y se ocultará tarde. ¿Has notado que los días son más largos y las noches mucho más cortas? ¡Qué suerte! Así puedes aprovechar al máximo los juegos al aire libre. ¿Sabías que el Sol es la estrella más cercana a la Tierra? Nuestro planeta tarda un año en darle la vuelta sobre su eje. La parte de la Tierra que queda más cerca del Sol recibe más calor. Estamos en primavera, luego en verano. Cuando esta parte se aleja, recibe menos calor y hace cada vez más frío: entonces llega el otoño y después el invierno.

Bajo la tienda de campaña

22

—¡Ya es verano! le grita Damián a Alejandro. ¡Vamos a poder ir a acampar!
—De acuerdo, contesta Alejandro. Pero como no tenemos tienda haremos una.
Los dos hermanos van a buscar tela plastificada para cubrir el suelo y formar el techo de la tienda, y palos de escoba para las estacas. La casa quedó en poco tiempo revuelta: los valientes niños no retroceden ante nada para realizar sus proyectos. Cubiertos con unas viejas ropas que encontraron en el granero se apresuran y en muy poco tiempo terminan de montar la tienda. De pronto, ¡qué contratiempo! ¡Una tormenta!, ¿Qué harán ahora?

23

Primero, confiados en su construcción, Damián y Alejandro se refugian debajo de la tienda, pero enseguida se dan cuenta de que la tela del techo no es impermeable.

—Nos vamos a empapar, dice Damián. Regresaremos a casa, ¡y pronto!

—Tienes razón, responde Alejandro.

Por fortuna mamá ha sido más previsora que sus hijos. Los espera en casa con una toalla y chocolate caliente. ¡Uno no se convierte en adulto tan rápidamente!

Gentil golondrina 24

Como amaneció el día muy hermoso, Mateo decidió ir a dar un paseo por el campo. Los fardos de heno se están secando al sol y por toda la campiña se oyen gorjeos y murmullos.

—¿Dónde se esconden esos tenores de la naturaleza?, se pregunta Mateo levantando la cabeza en dirección al Sol. ¿Qué clase de pájaro es ese que canta al mismo tiempo que se eleva hacia el Sol hasta perderse de vista?, piensa intrigado.

25

Mateo, curioso, interroga a su amigo Juan el granjero:

—Es la golondrina, le dice. Mira como sube hasta el cielo.

En cuanto deje de cantar, bajará a toda velocidad hacia el campo para buscar el nido que construyó a nivel del suelo.

—Antes cazaban a las golondrinas. ¿Sabes cómo? Con ayuda de un espejo se cegaba al pájaro que creía que era el sol y chocaba con él... ¡Qué crueles son los hombres a veces!

26

El sastrecillo valiente

En un país muy lejano, un terrible gigante había sembrado el pánico. Por ello el rey envió un pregón para comunicar a su pueblo que aquel caballero que venciera al gigante podría casarse con la princesa, su hija. El sastrecillo estaba tan ocupado en su taller que no había oído nada. Se dedicaba a cazar moscas de una manera tan enérgica que había logrado ya matar a siete de un solo golpe.

27 ¡Qué hazaña! Muy orgulloso de
sí mismo, se acercó a la
ventana gritando a quien
quisiera oírlo:

–Siete de un golpe. ¡Maté siete
de un golpe, yo solo! ¡Soy un héroe!
Al oír estas palabras, los guardias del rey lo
llevaron inmediatamente al palacio. Cuando llegó
ante el soberano se apresuró a contarle su proeza.
–Ahora no tengo miedo de nada, concluyó el
sastrecillo.
–Como eres tan valiente, serás tú quien libere al
país del malvado gigante, le respondió el rey.

Muy pronto, el sastrecillo se encontró frente al terrible gigante. ¿Cómo vencer a
alguien tan fuerte?, se preguntó nuestro amigo que estaba muerto de miedo. No tengo
más que una solución: utilizaré el engaño. El gigante al verlo se desternillaba de risa.

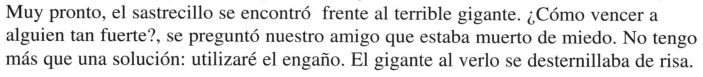

28

–¡Verdaderamente tú no tienes mi
talla!, gritó el gigante.
–No cantes victoria tan pronto, respondió el joven.
No olvides que soy el sastre más rápido del país. Y
diciendo esto le clavó las tijeras en la punta de la
nariz. Con unas cuantas puntadas el gigante quedó
inmovilizado. Cuando el rey se enteró de esta
victoria, acudió al lugar de la hazaña y se llevó al
sastrecillo al palacio. El joven conoció a la
princesa, se casó con ella y fueron muy felices.

La fiesta de la escuela

29

El año escolar llega a su fin y los alumnos están impacientes porque empiecen las vacaciones.

Hoy, la señora del Bosque decidió organizar una pequeña fiesta en la escuela. Todos los alumnos se reunieron en el salón de gimnasia.

—¡Vamos a comenzar con el juego de las sillas musicales!, anunció el señor Gómez.

El campeón de cada grupo recibe un premio: un disco compacto. Una gran sonrisa ilumina el rostro de los vencedores.

—¡Felicidades!, aplauden los otros niños. ¡Bravo amigos!

—Y ahora, anuncia la señora directora, ¡dejaremos que siga la música!

30

Los alumnos de primer grado se levantan y entonan las canciones que cantaron a sus padres unos días antes. ¡Qué hermoso día! Pero todo tiene un fin, los niños regresan al salón de clases para recibir las, a veces, tan temidas boletas de calificaciones... Los corazoncitos laten un poco más de prisa. Para algunos alumnos éste es un momento de alegría. En los ojos de otros hay lágrimas... Sin embargo todos hacen promesas para el próximo año.

—¡Felices vacaciones, amiguitos!

¡Vivan las vacaciones! 1

¡Este año la familia Báez irá a Costa Rica!
Como la distancia es muy grande, papá
decide que el viaje se haga en avión.
–Es más caro, dijo, pero es más rápido y menos
cansado.
Cecilia y Miguel están muy nerviosos, ¡Es la
primera vez que van a subir a un avión! No
dejan de preguntar a sus papás:
–¿Da miedo?
–¿Cuántos pilotos hay?
–No deben preocuparse, dice mamá
tranquilizándolos.
–¡Es muy divertido!
El abuelo los lleva en su auto al aeropuerto, preguntándoles antes de dejarlos:
–¿Seguro que no olvidaron nada?

2

Papá factura el equipaje y luego conduce a su familia
hacia los pasillos rodantes... que los llevan hasta el
Boing 747. La aeromoza les indica sus asientos.
–¡Abróchense los cinturones, por favor!, les pide.
Los motores rugen. El avión avanza sobre la pista,
luego acelera. Miguel y Cecilia retienen el aliento...
La velocidad aumenta, las ruedas abandonan el suelo.
El aparato se dirige hacia el cielo y toma altura.
–¡Volamos!, exclaman los niños aplaudiendo.
¡Volamos!

3

La Cenicienta

La mamá de Cenicienta había muerto. Su padre volvió a casarse con una mujer que tenía dos hijas. La nueva esposa obligaba a su hijastra a hacer los trabajos más pesados de la casa. Tenía que limpiar todo, hacer la comida y lavar la ropa. Cenicienta sólo tenía vestidos viejos y la llamaban así porque siempre estaba entre las cenizas de la cocina. Sus hermanastras la agobiaban cada día ordenándole nuevos trabajos porque le tenían mucha envidia.

Cenicienta era muy hermosa y dulce, en cambio las hermanastras eran feas y malas. Un día, el palacio real anunció un gran baile con el fin de encontrar una esposa para el príncipe heredero. Las tres jóvenes recibieron una invitación.

–¿Le darían permiso a Cenicienta para ir al baile?

4

La madrastra envió a Cenicienta a la cocina y mandó hacer dos magníficos vestidos para sus hijas. Cuando llegó la noche del baile, las dos hermanas se fueron y Cenicienta se quedó llorando cerca de la chimenea. De pronto se le apareció su madrina, el hada buena, quien con un toque de su varita mágica cambió los harapos de cenicienta por un precioso vestido. Después transformó una calabaza del jardín en una espléndida carroza y a seis ratones en magníficos caballos.

–¡Tú irás también al baile, le dijo el hada, pero no olvides: el encanto terminará a la media noche!

5

Cenicienta pasó una velada inolvidable. Cuando el príncipe la vio sólo bailó con ella. Estaba tan contenta que se olvidó de la hora. De pronto oyó sonar las doce campanadas de la medianoche. Salió corriendo y por el camino perdió una de sus zapatillas de cristal. El príncipe estaba muy triste y quería encontrar a la joven a cualquier precio. Unos días más tarde organizó la búsqueda. Un mensajero de palacio recibió la orden de probar la zapatilla a todas las jóvenes, Cenicienta tuvo también que medírsela. Así, el príncipe supo al fin quién era la joven a la que amaba. La condujo a su palacio donde se casaron muy pronto y fueron muy felices.

La primera fruta 6

¡Apuesto a que la fruta de verano que más te gusta es la cereza! Cerca del estanque, el hermoso cerezo está repleto de magníficos racimos. Mateo y Sofía se preparan para recolectarlos.

¡Qué alegría poder hacerse unos hermosos aretes! y llevarle a mamá una canasta llena de cerezas para que nos haga rica mermelada.

–Debemos apresurarnos, pide Mateo a su hermana, porque los pajaritos están más ansiosos de cerezas que nosotros...

La caza sorpresa

7

¡Estamos de vacaciones!... En las noches de verano, nadie quiere acostarse temprano. Hoy se le ocurrió una idea a Clementina.

–¿Y si vamos a cazar mariposas nocturnas?, propone a sus primos, Tomás y Nicolás.

–¡Qué buena idea!, exclama Tomás, a quien le encanta la aventura. Voy a buscar una linterna. Nicolás no se siente tan contento. Es el más pequeño y no le gusta la oscuridad.

Sin embargo pone buena cara y va a buscar un frasco y su red para cazar mariposas.

–No vayan muy lejos. Permanezcan cerca de casa, dice mamá al verlos entusiasmados.

8

Tomás, Clementina y Nicolás se encuentran en el lindero del bosque. De pronto, se apaga la lámpara.

–¡Deben ser las pilas!... Me lo temía, dice Nicolás asustado. ¿Y ahora, cómo vamos a regresar con esta oscuridad?... Clementina se siente muy contrariada.

–¡Oh, miren!, exclama de pronto Tomás. ¡Unas luciérnagas!... ¡Ya no necesitamos la lámpara! ¡Bastará con atrapar algunas y ponerlas en nuestro frasco!

–¡Estupendo!, dice Nicolás. Eso me tranquiliza. ¡Lástima que no podamos cazar mariposas! ¡Pero las luciérnagas son también muy lindas!

Las aves rapaces

9

Existen en la naturaleza unas aves muy extrañas que siempre han suscitado la desconfianza de los hombres: se les llama rapaces. Sin embargo, son muy hermosas y además muy útiles, aunque sus misteriosas costumbres nos han inspirado temor siempre. Un día, en el transcurso de un paseo, Mateo pudo observar a una de ellas, era un cernícalo.

–¡Oh! ¡Parece un ciervo volador!, se dijo. Este animal tiene una vista tan poderosa que le permite ver hasta la presa más pequeña, ya sea un ratón de campo o un conejillo. El cernícalo caza en pleno día, así lo hacen también el gavilán y el halcón. Las aves rapaces más enigmáticas viven de noche; pero no son aves de mal agüero como se ha creído con frecuencia.

¿Quiéres que las descubramos juntos?

10

–¡Hou-hou!, ¡hou-hou! Una lechuza cuchichea en plena noche. No hay que tener miedo, sólo es un ave rapaz nocturna muy útil, que se alimenta de insectos y de otros animalitos que son perjudiciales. Igual que las otras aves de rapiña, la lechuza escupe unas bolitas compuestas por las partes no comestibles de los animales que ingiere. Por ejemplo: huesos, pelos y plumas. Puedes encontrar esas pelotitas en un bosquecito de abetos o incluso en una granja. Examina la pelota y conocerás el menú de esa ave de rapiña.

11 Las gaviotas hambrientas

Nancy y Cecilia pasan algunos días de vacaciones en el mar. Todas las mañanas, cuando van a la playa a pasear a su perro, se encuentran con numerosas gaviotas que andan dando vueltas y gritando, se pelean y buscan su comida en la arena húmeda.

–¡Dejen correr a Pepsi, les aconseja papá. Él necesita brincar.

Cuando ven que se acerca el perro, las gaviotas vuelan haciendo mucho ruido, luego regresan de nuevo dando aletazos.

–¿Qué comen?, pregunta Nancy.

–Ah, pues comen: mejillones, cangrejos, camarones, pan... , responde papá.

–¿Podríamos darles un pedazo de pan con mantequilla?, propone Celia.

12

¡Mira, aquí tengo dos en la mano!

–Bueno, ¡está bien! Dales pan con mantequilla. Lo están deseando. Las niñas parten el pan en pedazos pequeños y lo tiran a los pájaros.

Las gaviotas se lanzan inmediatamente sobre su desayuno gritando. Llegan de todas partes y nuestras dos amigas, un poco asustadas, se refugian cerca de papá que no deja de reír.

–¡Estas gaviotas sí que tienen hambre! ¡Y son unas salvajes!, dice muy contento.

La pesca con caña  13

–¿Cómo?... ¿Nunca has ido a pescar y te gustaría
hacerlo?, le dice papá a Simón que acaba de ver
un programa sobre pesca en la televisión.
–Pues no hay nada más sencillo, hijito.
–Pero no tengo equipo para ir a pescar.
–¿Tienes botas y una vieja chamarra o un
chaquetón impermeable? Con eso basta. No se
necesita un traje lujoso.
–¿Y la caña de pescar?
–No te preocupes, yo me encargo de eso. Sólo necesito amarrar un hilo de plástico a
la punta de un palo, un corcho flotador, un anzuelo y listo: ¡ya está todo arreglado!
Simón sonríe soñador. Se imagina que domina la caña de pescar y que pesca con
orgullo un enorme pez...

14

Papá y Simón ya están sentados
junto al río y vigilan su caña.
–¡Cuánto tardan!, dice Simón
inquieto por la larga espera.
Ya casi no nos quedan carnadas.
Papá no responde. En la punta de la caña de
Simón ha visto un ligero remolino y el niño ni
siquiera se ha dado cuenta. Exclama:
–¡Tira del anzuelo, hijo! ¡Es el momento!
¡Formidable! ¡Es una pequeña trucha!
Simón no sale de su asombro. En un instante
olvidó todos sus esfuerzos.
¡Así son las alegrías de la pesca!

¡Salta ranita!

15

Esta mañana no hay sol. ¡Qué le vamos a hacer! Caty se pone su traje deportivo y se va a pasear al bosque.
–¡Es un lugar magnífico para pasar las vacaciones!.
–Al mediodía se encuentra con sus padres.
–Fui al río, y vi muchos patos, y nenúfares...
–¿Qué tienes en esa bolsa?, le pregunta papá.
–¡Una rana!, responde la niña depositando al animal sobre la mesa. El batracio aprovecha ese momento para saltar sobre los platos vacíos, luego se lanza al suelo.
¡Qué lío! Todos los empleados tratan de capturar a la rana. Algunas personas gritan asustadas y los niños se divierten como locos.

16

Alí Babá y los cuarenta ladrones

Hace mucho tiempo, en un país muy lejano, vivía un joven que se llamaba Alí Babá. Un día, cuando regresaba a la ciudad en su asno, escuchó el ruido de cascos de caballos que iban a todo galope. Abandonó el camino y se escondió. Poco después vio pasar a unos cuarenta jinetes que iban muy cargados. Se detuvieron, y uno de ellos dijo:
–¡Ábrete, sésamo! Ante los ojos asombrados de Alí Babá se abrió una roca dejando al descubierto la entrada a una cueva. Toda la banda se apresuró a llevar su carga al interior. Después, el mismo hombre, dijo:
–¡Ciérrate, sésamo! Y la roca se cerró. Cuando los bandidos se alejaron, Alí Babá se dirigió a la cueva y pronunció las palabras mágicas. La roca se abrió. ¡Qué maravilla!

17

Ante sus ojos brillaban montones de piedras preciosas y piezas de oro... Llenó una bolsa con todo lo que pudo y se marchó, no sin antes cerrar la entrada de la gruta. Cuando llegó a su casa le contó a su hermano Cassim su aventura.

Cassim fue a la cueva pero los bandidos lo sorprendieron y le dieron muerte. Alí Babá, al darse cuenta de la desaparición de su hermano, salió a buscarlo y lo encontró muerto en el interior de la caverna. Se llevó el cuerpo a la ciudad pensando que los bandidos no tardarían en buscar a aquel que conocía su guarida. En efecto, un miembro de la banda lo siguió y pronto supo donde vivía.

Unos días más tarde, un vendedor se presentó en casa de Alí Babá y pidió que le permitieran guardar en el patio, hasta la mañana siguiente, cuarenta vasijas de aceite.

18

Morgiana, la sirvienta, sospechó que dentro de las tinajas de aceite se habían ocultado los bandidos. Cuando llegó la noche hirvió agua y la echó dentro de las vasijas. Los ladrones, que efectivamente estaban allí, no tuvieron tiempo ni de gritar. Todos murieron achicharrados. Cuando el jefe se dio cuenta de que todos sus hombres estaban muertos, huyó. Morgiana, que vigilaba el patio, le explicó a Alí Babá todo lo que había pasado.

Alí Babá repartió entre los pobres de su ciudad todos los tesoros de la cueva, se casó con Morgiana y vivieron muy felices.

En la segadora

19

Este año, el señor Trigo, el granjero, aceptó llevar a Rafael en la segadora. El sol brilla con mil luces, las espigas están doradas y maduras.

–¡Vámonos!, dice el granjero.

El motor de la segadora hace un ruido ensordecedor. Las paletas giran y las navajas cortan sin cesar, la máquina se traga las espigas, conserva el grano y tira la paja...

Los insectos vuelan ante las terribles quijadas del monstruo metálico. Los gorriones huyen batiendo las alas, seguidos por un faisán y una perdiz...

20

De pronto, Rafael exclama:

–¡Deténgase, señor Trigo!

–Nuestro amigo se baja de la cabina y se precipita hacia la parte delantera del enorme vehículo. Se agacha y recoge algo. Rafael vuelve con el conductor y le muestra lo que encontró: ¡un erizo!

–¿Qué vas a hacer con ese bebé?, pregunta el granjero.

–Lo alimentaré y vivirá en nuestro huerto. Ya sabe usted que los erizos comen caracoles y también insectos...

Zumbido de oídos

–¡Vaya!, se preocupa mamá.
Pedro no se ha levantado aún.
Nunca despierta tan tarde. ¿Por qué no vas a ver qué le pasa?, le pide a papá.
–¿Qué te pasa, hijito?, pregunta papá al entrar en la habitación.
–No sé qué me pasa, responde Pedro. Debo estar enfermo; siento que no dejan de zumbarme los oídos. Papá sale de la habitación muy pensativo.
–Hay que llamar al médico, dice.
Ese zumbido de oídos me inquieta.
Sin embargo, Pedro no puede estar resfriado: hace muy buen tiempo...
¿Qué puede tener? Me gustaría saber lo que piensa el médico.

El doctor conoce muy bien a Pedro,
pero hoy está confuso.
–No tienes fiebre, le dice al niño, sin embargo hay algo raro...
Pensativo, el médico se acerca a la ventana.
Como hace mucho calor, la abre de par en par. Y de pronto... ¡también oye el zumbido! Empieza a reírse:
–La clave del misterio está aquí. ¡Hay un nido de abejas en la cornisa! Llama a los bomberos, Pedro, ¡ellos te curarán más pronto que yo!

Las Luciérnagas

23

Como hace mucho calor esta noche, Mateo, Sofía y sus padres han decidido observar la vida nocturna del campo. Con una lámpara de mano, se internan los cuatro en las sombras del bosque. Sofía le teme a los mosquitos que silban cerca de sus orejas. Al borde del camino, toda la familia se siente atraída por un pequeño punto luminoso que brilla como si hubiera caído una estrella.

–¡Es una luciérnaga!, exclama el papá de Mateo y de Sofía. No debemos tocarla porque al sentir el peligro se apaga. No es un gusano, es un insecto sin alas.

–¿Conoces otros animales fosforescentes?

24

Los niños abren sus ojos asombrados ante este animalito.

–Me gustaría, le dice Mateo a Sofía, ser tan luminoso como este insecto. ¡Eso me evitaría tener que llevar esta linterna!

–¡Y a mí!, agrega Sofía!, ¡ya no tendría miedo a la oscuridad!

Un poco más lejos, sobre los arbustos, centellean otras lucecitas.

Son otras luciérnagas que salpican los bosques con hermosas luces errantes. En algunos países también se conocen como moscas doradas de San Juan.

Las estrellas

25

En pleno verano, es un gran espectáculo contemplar el cielo por la noche. Brilla con mil luces de todos los tamaños: son las estrellas, enormes masas de gas ardiendo. Nos parecen minúsculas porque están a millones de kilómetros de nosotros.

En un hermoso cielo nocturno puedes reconocer las estrellas. El cielo del verano es atravesado por una gigantesca estela luminosa compuesta por millones de estrellas: es la vía láctea. Se destaca fácilmente una constelación: la Osa Mayor, formada por siete estrellas que tienen aspecto de carreta. Muy al norte, la estrella polar es la más alejada y la más brillante.

26

−¡Oh, mira! ¡Una estrella fugaz atraviesa el cielo a toda velocidad!

Parece un verdadero fuego artificial. Cuando el cielo está despejado se ven decenas de ellas. No hay que confundirlas con un avión, porque éste se desplaza mucho más lentamente. De hecho, no son estrellas: son fragmentos de roca que, al atravesar el espacio, se encienden al contacto con el aire. Cuando veas una estrella fugaz pide un deseo y se te cumplirá. Pero sobre todo no se lo cuentes a nadie...

27

Tesoros del sol

¿Qué puedes hacer con los guijarros y caracolas que has recogido en las playas o con los hermosos guijarros que reúnes al dar un paseo? Pues puedes hacer mil objetos decorativos, pero debes hacerlos muy bien. Algunos pincelazos transformarán una caracola o una piedra plana en un pescado o en un bonito medallón.

Si por el contrario tienen formas más redondas, pueden unirse para hacer muñequitos o animales cómicos. Sobre un pedazo de cartón o madera, con pegamento líquido, se hacen también mosaicos muy bellos. Cuando las obras maestras están terminadas, lo ideal es cubrirlas con una capa de barniz protector.

28

Para divertirte de otra manera puedes organizar diferentes juegos con las caracolas o los guijarros. En la arena, por ejemplo, es fácil trazar un circuito de rayuela, un juego de damas o, incluso, un juego de la oca. En casa puedes crear otro juego: fabricar un tesoro con piedras pintadas de color dorado y collares de caracolas. El objetivo del juego es que tus amigos capturen el tesoro buscando todas las piedras preciosas que has escondido por la casa.

29 El león y el ratón

Un león se encontraba descansando muy a gusto. Había comido muy bien y dormía una pequeña siesta.

Dormitaba satisfecho y, por lo tanto, estaba de muy buen humor. De pronto, sintió vibrar el suelo; luego observó que la tierra se levantaba ligeramente y apareció un hoyo. Asombrado, el león vio como salían del agujero un par de magníficos bigotes.

Pertenecían a un ratón que miraba con asombro al león, sorprendido de encontrarse entre sus patas. El ratón se dio cuenta inmediatamente de lo peligroso de su situación: la fiera no tenía más que hacer un pequeño movimiento y... ¡adiós ratón! Pero el rey de la selva, divertido, al darse cuenta del aturdimiento de inesperado visitante, lo invitó a continuar su paseo.

30

El ratón, feliz de seguir vivo, lo agradeció y echó a correr a toda la velocidad que le permitían sus patas.

Esa buena acción tuvo sus frutos. ¡Quién hubiera pensado que la vida de un león dependería de un ratón! Sin embargo, un día, el león quedó atrapado en una red. Por más que rugía, saltaba y sacudía la red, no lograba liberarse. Estaba prisionero. Cuando el ratón, que pasaba por allí, se dio cuenta, empezó a morder la red, y la mordió tanto que la malla cedió dejando libre al león.

La paciencia y el tiempo hacen más que la fuerza o la rabia.

El pato costurero 31

Bebé ha recibido dos hermosos juguetes al cumplir su primer año: un osito de peluche y un pato azul con cuatro ruedas. Bebé no sabe todavía caminar solo, se desplaza gateando y se sienta cuando está cansado.

Toma en sus brazos al osito y lo abraza con fuerza, después le tira de una oreja, lo besa muchas veces, le tuerce la cabeza, y al final lo lanza contra la pata de la mesa.

–¡Pobre Bruno!, piensa el pato de madera. Este pequeñín debería jugar un poco conmigo: yo soy más fuerte que el osito de peluche.

Bebé acaba por arrancarle una pata a Bruno, luego, cansado, se acuesta sobre su cojín y se duerme.

Mamá acomoda a su hijo en la cuna y... Cuá-Cuá, el patito, se acerca a su amigo y le murmura al oído:

–Voy a ayudarte, Bruno. Vas a ver. Yo soy un gran costurero. Y Cuá-Cuá cose con hilo muy sólido de color café y una aguja, la pata que Bebé había destrozado.

–¡Muchas gracias! ¡Ya me siento mucho mejor!...¡Qué terrible es este niño!

–¡Es tan hermoso cuando duerme!, exclama Cuá-Cuá. Ven a verlo pero no hagas ruido.

Los dos juguetes salen suavemente de la caja y observan al bebé dormido, con el pulgar en la boca y una maravillosa sonrisa en los labios.

–¡Tienes razón!, susurra Bruno. Parece un ángel... sólo por eso le perdono sus malos tratos.

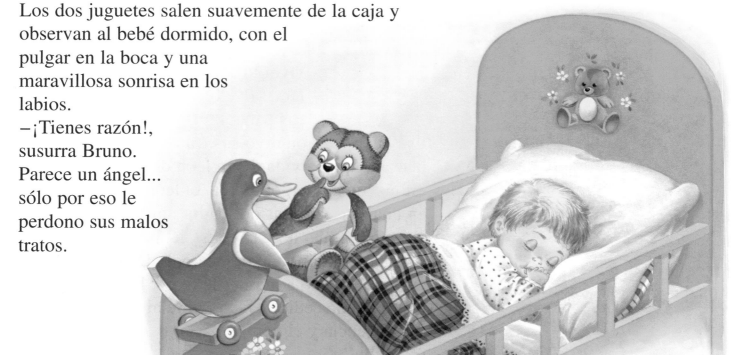

1

Los reencuentros

Durante el mes de julio, Barbara y Gregorio fueron de vacaciones con sus padres. El tiempo estaba muy soleado y hermoso.

Hoy han regresado, muy contentos y bronceados.

Mamá está preocupada porque la abuela se encuentra enferma. Dejaron rápidamente las maletas y toda la familia corrió a su casa.

La abuela ya se siente mucho mejor y sonríe.

—Acérquense, hijos, les dice emocionada.

Gregorio se acerca y se arroja al cuello de la abuela.

—¡Suavemente, Gregorio, vas a lastimar a tu abuela!, regaña papá.

La abuela dirige una mirada por la habitación y pregunta a mamá

—¿Quién es esa niña tan morena?

—¡Es Bárbara!, responde mamá sorprendida.

—¡Sí, soy yo!, grita la pequeña, y corre a abrazarla.

Entonces la abuela la reconoce, ¡es su pequeña salvaje!

La abuela está feliz y no se da abasto para escuchar todas las aventuras que la familia quiere contarle.

Caperucita Roja

2

Esta es la historia de una encantadora niña a la que todos llamaban Caperucita Roja porque cada vez que salía de paseo se ponía una capita roja.

Un día, Caperucita fue a visitar a su abuelita que estaba enferma, quien vivía un poco lejos, en una casita al final del bosque.

Por el camino se encontró al lobo que le preguntó: ¿Adónde vas?

—Voy a casa de mi abuelita, le llevo galletas porque está enferma.

Al oír esto, el lobo se despidió y atravesó corriendo el bosque para llegar primero a casa de la abuelita.

Cuando llegó tocó a la puerta:

¡Toc! ¡Toc! ¡Toc!

—¿Quién es?, contestó con voz temblorosa la abuelita.

3

—¡Soy Caperucita Roja!, dijo el lobo fingiendo la voz.

La abuelita notó algo raro y decidió esconderse en un gran armario. El lobo entró y buscó a la abuelita, más no la encontró. Se acostó en la cama y esperó a que llegara Caperucita.

Caperucita Roja entró en la casa y se dirigió a la cama para darle un beso a su abuelita, pero la encontró muy cambiada.

—¡Qué dientes tan grandes tienes, abuelita!, le dijo.

—¡Son para comerte mejor!, gritó el lobo. Y se lanzó sobre la niña.

4

–¡Auxilio! ¡Auxilio! ¡El lobo me quiere comer!, gritó Caperucita.
Al oír las exclamaciones de Caperucita, la abuela salió del armario y descargó un fuerte golpe en la cabeza del lobo con el rodillo de la cocina.
Le dio con tanta fuerza que el lobo se desplomó, después se levantó pesadamente y huyó al bosque por donde todavía sigue corriendo.
–Esta aventura me abrió el apetito, dijo Caperucita Roja.
–A mí también, respondió la abuelita, y además ya me siento mejor.
Las dos se sentaron a la mesa muy contentas y se comieron las galletas con un rico chocolate.

5

El viejo manzano

Un cinco de agosto, cuando el viento pasó por el jardín de Carolina, se detuvo de pronto intrigado.
–¿Qué te pasa?, le preguntó al viejo manzano que tenía un aspecto muy cansado. ¿Algo está mal?
–Es que ya estoy viejo, respondió el árbol con voz débil, y mis ramas están muy pesadas, ¡cargadas con todas estas manzanas!...
–No te preocupes, le dijo el viento. Yo te ayudaré, ya verás.

AGOSTO

6 ❀ ❀

El viento, en su afán de ayudar al manzano, sopló con todas sus fuerzas.

¡Pero no tuvo suerte! Sólo cayeron dos o tres manzanas sobre la hierba.

–¿Qué puedo hacer?, pensó el viento.

–¡Tengo una idea!, exclamó de pronto, y se introdujo suavemente entre las ramas del manzano. Como por arte de magia, un delicioso perfume de fruta se esparció por el aire y llegó hasta la habitación de Carolina.

–¡Mmmh! ¡Qué bien huele!, dijo la niña.

¿Y si fuera a cortar unas manzanas?...

Buti y Margarita 7 ❀

En el jardín hay muchas flores. Buti, la abeja, adora las flores, y le gusta charlar con Margarita. Su amiga preferida.

–¿Qué hay de nuevo? ¿Tienes un buen néctar para mí?

–Toma el que quieras, Buti, pero ¡por favor! ¡no me hagas muchas cosquillas!

–¿Sabías que tu néctar es el mejor de la región? ¡Gracias a ti nosotras producimos muy buena miel! ¿Sabes cómo la hacemos?

–Pues bien, después de mis viajes, continúa Buti, regreso a la colmena...

–¿Es cierto que tú bailas?, le pregunta Margarita intrigada.

–Hago círculos y vuelo haciendo ochos para indicarle a mis hermanas cuales son las flores más deliciosas, como tú. Luego deposito mi néctar en los panales de la Reina, que se encarga de hacer la miel.

–¿Puedes invitarme a probarla?, pregunta Margarita.

–Con mucho gusto, pero la miel no es para nosotras. Nosotras se la damos a los niños, ¡que se vuelven locos con ella!

8

El regreso de los Boy Scouts **9**

David, Roberto y Lorenzo han pasado una semana en un campamento de boy scouts, en pleno bosque. Su estancia ha terminado y la persona responsable del grupo los lleva en un jeep hasta su casa.

–¡Pero qué sucios vienen!, dice la señora Villar.

–¡No tuvimos mucho tiempo para bañarnos!, explica David.

–¿Por qué?, les pregunta mamá.

–¡El agua del río estaba muy
fría!, agrega Lorenzo.

–¡Ya entiendo por qué huelen
a león!, dice papá sonriendo y
tapándose la nariz.

10

–Un buen boy scout, aunque el agua esté fría, debe
bañarse todos los días, los regaña mamá.

–Ahora sólo nos queda una solución: ¡un buen baño
caliente con cepillo y jabón!

–Estamos sucios, ¡pero cómo nos divertimos!,
termina diciendo David.

Y todos ríen a carcajadas.

Un bonito cuadro 11

El abuelo le propone a Roberto
arreglar la cabaña donde guardan las
herramientas.

–¡Estupendo!, dice Roberto, siempre contento con
las propuestas de su abuelo.

Mas al entrar en la cabaña, se siente un poco
decepcionado:

–¡Bah!, exclama. ¡Está llena de telarañas!

–Haces mal en sentirte a disgusto, dice su abuelo.
Creo que no conoces a las arañas, Si quieres te
explicaré...

12 ❀❀

–Cuando yo era pequeño, continúa el anciano, pasaba horas observando a las arañas. A veces las miraba a través de una lupa tratando de pintar sus hilos, y otras veces las molestaba con un palito para hacer temblar toda su tela.

–Anda, ve a buscar el atomizador de laca de tu mamá. Rociaremos la tela que después pondremos sobre una placa de cristal. ¡Ya verás que obra maestra!

–Nunca lo hubiera pensado, dice Roberto. ¡Eres formidable abuelito!

13 ❀

La cabaña de madera

Olivia, Genoveva y Carlos ayudan a papá a preparar una barbacoa.

–Necesito muchas ramas de todos los tamaños. ¡Hay que traer todas las que haya por ahí!, dice. Cuando se trata de tres niños muy listos, es fácil encontrar leña.

Rápidamente Olivia, Genoveva y Carlos traen tanta que papá está asombrado.

¿Qué hacer? ¡Hay demasiada! El jardín está lleno.

14

Pero papá tiene una idea.
–Síganme niños, dice
llevándolos al fondo del
jardín, y traigan toda la leña que recogieron.
Los niños se preguntan: ¿qué idea se le habrá
ocurrido a papá? ¿No es aquí donde debemos
prender el fuego?...
–Vamos niños. ¡Se necesita mucha energía para
construir una cabaña!, les anima papá.
–¡Yuupii!, exclaman los niños.
–¡Es mucho mejor así!, dice Carlos muy feliz con el
nuevo proyecto.

15

Aladino y la lámpara maravillosa

Aladino vivía con su mamá. Eran muy felices pero
también muy pobres.
Un día llegó a su casa un anciano y se presentó
como el tío Alí.
En realidad era un brujo muy malvado.
Se llevó a Aladino al desierto y le pidió que hiciera
fuego.
Luego arrojó un polvo mágico a las llamas y la
tierra se abrió dejando al descubierto una gruta.
–Toma este anillo, le dijo entonces el brujo.

—Este anillo te protegerá de los genios malignos que habitan en esta gruta. Baja y tráeme una lámpara de aceite que encontrarás en el fondo. Aladino vio tantas piedras preciosas en la cueva que se quedó contemplando durante largo tiempo ese tesoro. Impaciente, el brujo se enojó tanto al ver que tardaba que tapó la entrada de la gruta con

16

piedras. Aladino estaba muy asustado. Sin darse cuenta, giró el anillo alrededor de su dedo y... en ese instante apareció un genio bueno que le preguntó qué era lo que deseaba. Aladino llenó un cofre con piedras preciosas y le pidió al genio que lo llevara a su casa. En un instante su deseo se vio realizado y el joven le contó a su madre todo lo que le había pasado.
Como la lámpara también era mágica, Aladino llego a ser muy rico y se casó con la hija del sultán.

17

Poco tiempo después, Aladino tuvo que viajar al extranjero. El viejo brujo, envidioso de la fortuna de Aladino, aprovechó su ausencia para apoderarse de la lámpara maravillosa y le pidió al genio bueno que transportara el palacio de Aladino hasta África. Cuando Aladino regresó de su viaje, se dio cuenta de lo que había pasado. Giró el anillo mágico y enseguida llegó también a África.
Logró recuperar la lámpara e hizo desaparecer al brujo. Desde entonces vivió con su esposa muy feliz gracias al buen genio.

18. El cometodo y la catarinita

En verano, cuando hace mucho calor, los rosales están llenos de pequeños insectos que corren entre los tallos y las hojas, sin preocuparse de las terribles espinas. Uno de ellos se llama Cometodo. Se vuelve loco con los pétalos de las rosas que chupa durante todo el día. Cuándo se siente satisfecho, Cometodo decide descansar en el hueco de un pétalo y refrescarse de vez en cuando con el rocío que gotea cerca de él:

–¡Ah! ¡Qué dulce es la vida en esta flor!, piensa, y después se duerme. Más Cometodo es muy imprudente al dedicarse a descansar así. Los depredadores no andan muy lejos...

19.

Precisamente, Mireya, la catarinita, acaba de posarse sobre el rosal. Cierra delicadamente sus alas y brinca de un tallo a otro.

–Me muero de hambre, dice. Y entre salto y salto, se come a los animalitos que tratan de huir desesperadamente de su boquita glotona. Cometodo, por su parte, se despierta al oír tanto barullo.

Presintiendo el peligro, hace rodar una pequeña gota de rocío sobre la catarinita que se ve obligada a ir a comer a otra parte.

Día de pesca ✳ 20

La familia Benítez acampa en la orilla de un río... Por la mañana muy temprano, Samuel y su padre dejan la tienda de campaña para ir a pescar truchas. Desayunar unos pescados fritos, con un poco de ajo, perejil y limón, acompañados de pan... ¡Mmmmh! Tan sólo de pensarlo... se hace agua la boca.

—No basta con pensarlo, dice papá preparando su larga caña de pescar. Es necesario, sobre todo, atraparlos.

Con nuestro equipo, ¡no tardaremos en hacerlo!, responde Samuel confiado. ¡Ya verás!

Todo marcha muy bien: las truchas se dejan pescar con facilidad.

Cuando se retiran del anzuelo, los pescados se colocan... ¿Adivinas dónde?

21 ✳ ✳

...En una cubeta llena de agua.

Nuestro amigo lleva las cuentas:

—¡Yupi! ¡Ya tenemos trece!

En ese momento, Canela, la perrita Cocker de la señora López, se acerca a los dos pescadores.

Con su gran cola tira la cubeta y... "el pescado frito" cae al agua.

Canela sale huyendo.

—¡Oh, no!, gime Samuel poniendo sus manos sobre la cabeza.

—¡Son cosas que pasan!, responde papá sonriendo.

La recolección de champiñones 22 ✳

–¿Me acompañas mañana a recolectar champiñones, Mateo?, pregunta Sofía a su hermano. Como esta noche está húmeda y caliente seguro que habrá muchos...

–¡Qué buena idea!, exclama Mateo loco de alegría. ¿Conoces buenos pastos?

–¡Por supuesto!, responde Sofía, están en el campo donde la tía Julia lleva a pastar a sus vacas. Es un excelente lugar, ya verás...

–Sí, pero es preferible encontrar un prado donde haya caballos.

–¡Parece que a los champiñones les encanta estar cerca de ellos!

–Ten confianza en mí, dice Sofía. Pero vamos a dormir porque ya es tarde y mañana hay que levantarse temprano...

23

Desde muy temprano nuestros dos amigos están listos.

Se ponen sus botas y con una gran canasta en el brazo no tardan en llegar al prado de la tía Julia.

–Hay que "rastrillar" el pasto de un lado a otro, aconseja Sofía. Tú camina por este lado, yo iré por el otro.

–¡Oh, mira! ¡Aquí tenemos a toda una familia de champiñones!, exclama Mateo. Abre tu canasta Sofía.

–¡Estos no son comestibles, dice Sofía. Mira: no tienen tronco, ¡son hongos venenosos!

La paloma y la hormiga

24

Había una vez una paloma que tenía la costumbre de ir a calmar su sed en el agua cristalina de un río. Un día, una hormiga que pasaba por allí se inclinó para tomar agua, dio un mal paso y se cayó. La valiente hormiga trató de nadar y de acercarse a la orilla, pero sin buenos resultados. La corriente de agua era como un océano para ella. La paloma vio a la hormiga que estaba a punto de morir. Tenía que ayudarla, ¿pero cómo? De pronto, el ave encontró una brizna de hierba, la tomó con su pico y la arrojó al agua cerca de donde estaba la hormiga, que logró subirse a la ramita. Estaba a salvo y por fin pudo llegar a tierra firme.
¿Habían terminado sus problemas?

25

La paloma contempló a la hormiga sana y salva. Más en ese momento apareció un campesino. Caminaba sin hacer ruido, y sobre su hombro llevaba un fusil. La paloma no se dio cuenta. De pronto el cazador se preparó para matarla, imaginando lo sabrosa que se vería en su plato. La hormiga, al ver el movimiento asesino, no lo dudó un instante y mordió al campesino en el talón. Al oír la exclamación de dolor, la paloma huyó y el cazador frustrado se quedó sin comida.
A veces necesitamos de alguien más pequeño que nosotros.

El vendedor de sueños y de arena

26

Nora está a punto de dormirse. En secreto espera que el vendedor de arena acepte llevarla hoy a su maravilloso país en la orilla del mar.

De pronto se siente como transportada por los aires. ¡Es increíble!...

Sin comprender lo que pasa, se encuentra en la playa, rodeada por muchos niños que se divierten por todos lados.

–Ven a jugar conmigo, oye que le dicen. Yo haré un dibujo en la arena y tú adivinarás qué es.

–No, ven aquí, la llaman un poco más lejos. Estamos haciendo un concurso de castillos de arena...

27

¡La arena es maravillosa!

¡Cómo se divierten!, piensa mientras mira a los niños que caminan hacia atrás sobre una pista de guijarros.

¡Y ahí hay otras jovencitas que juegan a lanzar pelotas de todos los colores!

Nora aplaude entusiasmada:

–Es el más hermoso lugar de juegos que he conocido, dice.

Parece que estoy soñando.

Nora aún no lo sabe, pero efectivamente está soñando.

¡Cuántas ideas para jugar tendrá en sus próximas vacaciones!

28 La cosecha de papas

—Aprovechemos estos últimos días de vacaciones para recolectar las papas, dice papá.
—De acuerdo, responde Benito, el mayor de sus hijos. ¿Vienes Felipe?
—Ya voy, contesta el más pequeño.
El trabajo empieza: papá desentierra los tubérculos y los niños limpian las papas y luego llenan con ellas sus recipientes. Benito lleva sus dos cubetas a casa y coloca las papas en el patio. Felipe trabaja un poco más despacio que su hermano. ¿Por qué razón?

29

Pronto lo sabremos...
Al cuarto viaje, mamá les lleva un refresco. En ese momento, Felipe tropieza con el rastrillo y vuelca las cubetas. La señora Robles se da cuenta de que los dos recipientes están medio vacíos: ¡el muy pillo rellenó el fondo con papel!
—¡Tramposo!, regaña mamá. ¡Debería darte vergüenza!
—Benito descansará mientras tú cumples con el trabajo que te corresponde, termina diciendo papá. ¡A trabajar amigo!

30 ✿ El regreso de las vacaciones

Rogelio, Caty, Marcos y sus padres han pasado unas maravillosas vacaciones.

—¡Me encantan los viajes en tren!, dice Caty mirando el paisaje que desfila a toda velocidad ante sus ojos.

—Mañana al mediodía llegaremos a nuestro destino, asegura papá sonriendo.

—¡Vamos a comer y luego todos a dormir!

—Yo no tengo sueño, agrega Marcos bostezando, ¡pero tengo hambre!

Terminan de cenar y los niños no tardan en dormirse en su litera... y sin mecedora.

A la mañana siguiente, cerca del mediodía, los abuelitos esperan en el andén.

En el vagón 5, el señor Domínguez se encarga de las maletas.

31 ✿ ✿

—¡No se apuren!, aconseja papá. Vamos a esperar hasta que el tren se detenga antes de caminar por el corredor.

El descenso se lleva a cabo sin el menor problema. Rogelio, Caty y Marcos abrazan a su abuelitos y...

—¡Mis caracolas!, grita Rogelio.

Demasiado tarde: el tren ya se ha ido.

—¡No te preocupes!, lo consuela mamá. El año próximo traerás unas más bonitas todavía.

El regreso a clases

1.

El gran día ha llegado. Los niños emprenden el camino de la escuela.
Los alumnos "viejos" se encuentran con sus amigos.
Los "nuevos" avanzan tímidamente por el patio del recreo...
Algunos pequeños tomados, de la mano de papá o mamá, hacen esfuerzos por retener sus lágrimas. Otros, acompañados de su hermano o hermana mayor, parecen menos inquietos porque saben que se encontrarán con ellos a la hora de recreo. Cuando suena la campana todos se forman en las filas. Algunos estallan en llanto porque hay que dejar a mamá y seguir a una señorita o a un maestro, es decir, a desconocidos...
¿Qué hará la maestra en el salón de clases?

2.

La maestra da los buenos días y pide que ordenen sus útiles escolares.
Para conocer mejor a sus alumnos, la maestra se interesa por saber cómo pasaron sus vacaciones y también sobre los viajes que hicieron. Más tarde les pide que anoten su nombre en la primera página del cuaderno.
Los niños están muy contentos con su nueva maestra que les ha prometido enseñarles cosas muy interesantes.
Cuando llega la hora de salir, los padres esperan tras la reja de entrada. Están impacientes por hacer muchas preguntas a sus hijos sobre la experiencia del primer día de clase.

3

Pulgarcita

Había una vez una joven mujer que estaba muy triste porque no tenía hijos.

Un día, en el corazón de una flor. Descubrió a una niña muy pequeñita a la que decidió llamar Pulgarcita. Una noche se acercó un gran sapo y, al ver dormida a Pulgarcita, prendado de su belleza, decidió llevársela.

—Será una buena esposa para mi hijo, pensó.

Se la llevó al estanque y la depositó sobre una hoja de nenúfar.

Por la mañana, cuando Pulgarcita despertó y se dio cuenta de donde estaba comenzó a sollozar.

Los peces del estanque decidieron salvarla.

Una mariposa remolcó la hoja hasta la orilla. Un abejorro la llevó a un prado.

Pulgarcita pasó todo el verano alimentándose con flores. Pero el verano no dura siempre...

4

Cuando llegó el invierno, Pulgarcita sentía mucho frío y hambre. Sólo tenía una hoja para cubrirse, hasta que un día pasó por allí una ratita que la llevó a su casa. Pulgarcita hacía todo lo posible por ayudar en la cocina y en el aseo de la casa. Un día fueron a visitar a su amigo el topo. Por el camino encontraron a una golondrina herida.

—Hay que curarla, dijo Pulgarcita.

Entonces extendió una manta sobre el pajarito, que estaba medio muerto de frío. Pronto empezó a latir de nuevo el corazón de la golondrina.

5  Gracias a los cuidados de Pulgarcita la golondrina se recuperó rápidamente. Cuando llegó la primavera, el pájaro se fue volando hacia el cielo azul. La vida de Pulgarcita volvió a ser muy triste.

Después de algún tiempo el señor topo decidió casarse con ella.

Pulgarcita salió a la superficie de la tierra para despedirse del sol y de las flores. De pronto vio en el cielo a su amiga la golondrina que le gritó:

–¡Ven conmigo, te llevaré al país del sol!

Pulgarcita aceptó muy contenta. En ese país encontró a un duendecillo muy bien parecido que le pidió matrimonio.

Pulgarcita dio su consentimiento y pronto se casaron y fueron muy felices.

Las peras cocidas **6**

Fabián y Sandra cortaron unas peras en el huerto y se las llevaron a su mamá.

–Gracias, hijos, les dijo muy contenta.

Cuando regresen de la escuela las peras ya estarán cocidas.

–¿En dulce?, preguntó Fabián.

–¡Por supuesto, pillín! ¡Ahora, a la escuela o llegarán tarde!

–¡Adiós mamá!

¿Estarán tan buenas las peras como la última vez?

7

A la hora de la merienda, Sandra y su hermano se sientan ante la mesa de la cocina.

Mamá sirve a cada uno una gran pera cubierta de un jarabe espeso y dorado. Los niños la comen encantados.

–¡Está riquísima!, dice Fabián.

¡Deliciosa!, agrega su hermana.

El postre está tan bueno que se llenan de jarabe por todas partes: las manos, la nariz, las mejillas, el mentón...

–¡Mamá, eres una "super cocinera"!, exclaman los niños depositando en sus mejillas un beso muy pegajoso.

Cosecha sorpresa 8

¡Qué bien! ¡Es la estación de las moras!

Pedro y Sofía convencieron a papá y mamá para ir mañana al bosque.

Al día siguiente, ¡qué mala suerte!, lejos de la ciudad, en un pequeño camino de tierra, el coche se descompone...

¿Qué puede hacer papá? No le queda más remedio que ir a buscar a un mecánico.

Mientras esperan su regreso los niños pasean.

Nunca se sabe...

¿Podrán encontrar moras?

¡Pues bien, no! No hay moras detrás de los setos del camino donde el coche de papá sufrió la avería. Los niños están muy decepcionados.

¿Tendremos que regresar con las canastas vacías?, piensan.

—¡Hay que levantar los ojos!, dice mamá.
A nuestro alrededor hay decenas de avellanos que están esperando que alguien les quite un poco de peso. ¡Vamos a trabajar!

Otro día haremos mermelada. ¡Las avellanas también son deliciosas!

9

Un pueblecito encantador

10

¡Qué hermosos son los hongos del bosque en otoño!
Los hay de todas formas y colores: desde pequeños, amarillos y redondos, en forma de trompeta, color violeta, peludos...
Bajo los altos árboles hay una verdadera ciudad de hongos.
Cada uno está cubierto por un sombrero con manchas rojas y blancas.
Es como si estuvieran habitados por duendes...
¡Entremos a ver!

11

Un duendecillo nos recibe alegremente.

–¡Bienvenidos a Mata-moscas!, les dice.

Yo soy el alcalde del pueblo. Aquí está Martillo, el carpintero; él se encarga de reparar nuestras casas. Allá está Bufi, el jefe de cocina. El pueblo se llama así porque no nos gusta que nos molesten las moscas.

Durante el día dormimos y nadie puede vernos. Cuando cae la noche salimos y recogemos todas las moscas para los pájaros.

¿Quién dijo que sólo existíamos en los cuentos?

En el claro del bosque

12

Esta noche, en lo más profundo del bosque, todos los animales están muy emocionados.

Un gran combate tendrá lugar entre dos venados. Mateo y papá se han subido a un árbol y esperan pacientemente...

De pronto, un grito retumba en el bosque.

–No temas nada Mateo, le dice su padre.

El combate va a empezar: se acerca la manada.

¡Pero sobre todo no hagas ruido!...

13.

Los ciervos y los cervatillos se colocan en círculo, mientras los dos combatientes afilan sus cornamentas.

–¿Por qué pelean?, pregunta Mateo.

–Porque el vencedor se convertirá en el jefe de la manada, responde papá.

El duelo ha comenzado.

Con las cabezas bajas, los ciervos entrelazan sus cornamentas y luchan.

–Afortunadamente, dice el papá de Mateo, los venados saben detenerse a tiempo y no se matan entre ellos para elegir al jefe de la manada.

Treinta y seis estrellas... 14.

–El próximo fin de semana, dice el profesor Gómez, todos vendrán a mi casa por la noche y observaremos las estrellas con mi gran telescopio.

El señor Gómez no es bromista y cuando propone algo uno no puede negarse.

Las noches están muy despejadas en este mes de septiembre y, como los días son más cortos, los niños no se irán a dormir muy tarde.

Por supuesto, hay que aprenderse el nombre de las estrellas.

15

Por fin llegó el fin de semana tan temido. Los niños estaban un poco asustados al tener que asistir a esta clase en la oscuridad de la noche y mirar al cielo. Habrá que poner mucha atención porque el señor Gómez no dejará de hacer preguntas...
Todo está listo. El profesor saca su telescopio y de pronto...
¡BRAUM!... ¡estalla una tormenta!
En un abrir y cerrar de ojos todos acaban empapados. ¡Rápido, vamos al interior de la casa!¡Veremos las estrellas otro día! Mientras tanto, todos se consuelan con una gran taza de chocolate caliente.

Los duendecillos

16

Había una vez una pequeña ciudad muy tranquila y próspera.
Por la noche, unos duendes muy amables, llegaban a terminar el trabajo de todos.
El panadero, que por su trabajo tenía que levantarse en plena noche, dormitaba cerca de su amasijo.
Los duendecillos preparaban la pasta, la amasaban, elaboraban los panes, los metían al horno, cuidaban su cocimiento y sacaban los panes que ya estaban en su punto.
¿A quién más ayudaban?

17

El carnicero tenía que salar el jamón y preparar los embutidos, pero los duendecillos lo hacían en su lugar cuando él se daba un poco de reposo por la noche.

El carpintero no lograba terminar sus pedidos.

¡Eso no importaba! Los duendecillos cumplían muy bien su tarea.

El vendedor de vinos se dormía por haber bebido un poco; tenía que embotellar todavía cinco barriles.

Mas cuando despertara, el trabajo ya estaría hecho.

Los buenos duendecillos pensaban también en las mamás que estaban apuradas con las tareas de la casa y que nunca tenían descanso.

Por eso las ayudaban a lavar, acomodar la ropa y planchar.

En cuanto al sastre, que estaba enfermo, ya le habían terminado el traje que tenía que entregar por la mañana muy temprano.

18

La mujer del sastre era una bruja y tenía muy mal genio.

Algunas horas de tranquilidad le harían mucho bien a su marido.

Sin embargo ¡qué lastima!, la mujer, al darse cuenta de que los duendecillos favorecían la pereza de su esposo, decidió sacarlos de la ciudad.

Una noche estuvo esperándoles y, cuando llegaron, los recibió a escobazos.

Los duendecillos decidieron entonces ir a ayudar a los habitantes de otra ciudad. Desde ese día todos tuvieron que asumir la responsabilidad de su trabajo.

El olfato de Tobi 19.

¡Qué coqueta es en otoño la naturaleza! Escoge los más hermosos colores para vestirse: rojo, amarillo, café y, por supuesto, el verde, que ocupa en todas las estaciones.

Vamos a aprovechar el tiempo seco y los últimos rayos de sol para admirar todo el esplendor de la naturaleza y recoger una colección de hojas de colores. ¿Por qué no invitar a nuestros mejores amigos?...

Con el fin de que el placer sea completo, papá organizará un juego en el que seguiremos la pista.

En lugar de las flechas habituales, utilizaremos bolitas de carne y así el fiel perro Tobi, llevado por los niños con un lazo, nos ayudará a encontrar la pista.

¡Comenzamos!...

20.

¡Qué lindo paseo! Tobi, muy seguro de sí mismo, nos lleva a todos por las praderas, los senderos, los bosquecitos. ¿Pero qué pasa? Tobi parece estar cada vez más nervioso y apurado; tira cada vez con más fuerza de la cuerda.

Nos lleva a todos por caminos cada vez más y más difíciles.

Parece que descubrió algo.

¿Qué será? ¡No! No es papá escondido con el almuerzo como habíamos convenido.

Es una familia de ciervos.

¡Vamos pronto a contárselo a papá!

La queja del roble 21

¡Ya llegó el otoño! Un viejo roble se lamenta con su vecino el pino...

–¿Qué aspecto tengo ahora?

El viento se lleva todas mis hojas...

–Ya tendrá nuevas hojas en primavera, contesta el pino.

–Sí, pero mientras tanto, voy a tener frío...

¡Qué injusta es la naturaleza!

–Yo no pierdo ni una ramita, agrega el pino, pero el invierno no me ahorra sus escarchas.

–Ya lo sé, pero me siento muy triste cada año, responde el roble.

Ahora voy a dormir y a tratar de olvidar mi desdicha.

En ese momento, sopla un aire deliciosamente tibio sobre el viejo roble, que le dice:

–¡Mucho valor, señor roble!

El roble y el carrizo 22

Un magnífico roble vivía solo en un prado.

Cerca, a la orilla del río, un carrizo había echado raíces.

El roble no perdía ocasión para recordar su fuerza y su prestancia al pequeño carrizo.

–Usted sí tiene razones para quejarse de la madre naturaleza, le gustaba decirle.

Un pajarito significa para usted un fardo muy pesado.

Hasta el viento suave que mueve la superficie del agua lo obliga a bajar la cabeza mientras que yo, no contento con detener los rayos del sol, puedo también enfrentarme a una tormenta.

Si al menos usted hubiera nacido a la sombra de mi follaje, no tendría que soportar tantas dificultades.

23

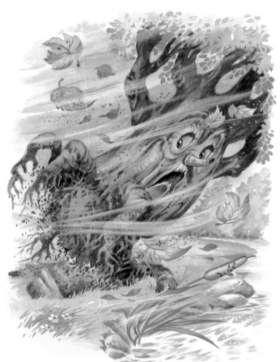

–Pero no, en lugar de eso, usted vive en las orillas húmedas donde hay tanta bruma.

–Sí, respondió el carrizo, ya lo sé. Me doblo, en efecto, pero no me quiebro.

Algunos días más tarde se desató una tempestad de una rara violencia, que destruyó todo a su paso. El gran árbol, robusto y orgulloso, tuvo que declararse vencido y, arrancado de raíz, su fin fue terrible, mientras que el pequeño carrizo no sufrió daños al no ofrecer resistencia y plegarse a la fuerza del viento.

24

La mermelada de ciruelas

La señorita Duprez, maestra de la escuela, decidió enseñar a sus alumnos cómo hacer mermelada.

–¡Tengo ciruelas en mi jardín!, dijo Angélica. Y mis padres están de acuerdo en que las cortemos.

–¡Vamos entonces!

Diez minutos más tarde, toda la clase de la señorita Duprez llegó al pie del ciruelo.

25

–¡Vamos a escoger las más maduras!

Son las más dulces. ¿Pero qué pasa?

Algunas abejas, al sentirse molestadas por los niños, se muestran amenazadoras.

–¡Vámonos!, aconseja la maestra.

De regreso al salón de clases, la señorita Duprez se da cuenta de que Luis hace muchos gestos.

–¿Qué te pasa, hombrecito?, le pregunta.

–¡Me picaron las abejas en el trasero!, responde el niño enrojeciendo y todo el mundo suelta la carcajada.

26

Negrita, la ardilla

–¡Buenos días, amigos! Me llamo Negrita, la ardilla. ¿Y ustedes?

–Yo me llamo Sofía y te presento a mi hermanito Mateo. ¿Qué haces? Estás muy nerviosa.

–Estoy reuniendo mis provisiones para el invierno. Y hay que hacerlo pronto.

Muchos animales se preparan y, si no trabajo, no quedarán ni avellanas, ni bellotas, ni nueces...

–¿Te podemos ayudar?, sugieren a coro los niños.

27.

–De acuerdo. Recojan todos los frutos secos que encuentren. Yo construiré mientras un pequeño granero...
Todos se dedican a la tarea.

–Gracias por su ayuda, amigos.
Pero ¡Oh!... olvidé mi escondite.

–Allá, en el árbol hueco, dice Sofía.

–¿Estás segura?, pregunta Negrita.
Me parece que era aquí, detrás de ese macizo...

–No, Negrita. Es en el árbol hueco, asegura Mateo.

–¿De verdad? Vayamos entonces...
¡Ah, decididamente estoy perdiendo la memoria!

El prado de los 28. hongos

–Y ahora, niños, ¡iremos a buscar hongos! En estos momentos las praderas están llenas, dice el señor Baltasar, el viejo granjero. Yo conozco un buen lugar pero antes les mostraré en un libro cuáles son aquéllos que es mejor dejar a un lado. Los niños se ponen muy pronto en camino. Afortunadamente calzan botas porque hay mucha humedad.

29 El señor Baltasar no los engañó: los niños descubren a cada paso un hongo.

Ni siquiera han visto a la vaca María que, intrigada por sus maniobras, se acerca a ellos y resopla ruidosamente en el cuello de Jerónimo, Éste asustado, sale corriendo a toda la velocidad que le permiten sus piernas. ¡Qué desastre!, tropieza con una piedra y cae cuan largo es con su canasta casi llena de hongos. María se queda mirándolo asombrada, ¡a ella no le gustan los hongos!

30

La primera llamada telefónica

¡Toni cumple hoy tres años! Le encanta jugar con el teléfono de casa.

Pero papá y mamá le han dicho ya varias veces que no es un juguete.

Sin embargo, como es el día de su cumpleaños, le dan permiso para que llame a sus abuelitos.

Mamá le dicta el número y le ayuda a marcarlo.

—¡Hola abuelita, soy Tony!, dice muy orgulloso.

1. La bella durmiente del bosque

Todo el reino estaba muy alegre: la reina acababa de traer al mundo a una preciosa niña. El rey hizo una gran fiesta e invitó a todas las hadas quienes dotaron a la pequeña princesa de grandes dones. Mas el rey había olvidado invitar a un hada que, por esta razón, se sintió muy ofendida. El hada se presentó ante la recién nacida y predijo que la niña moriría cuando cumpliera los dieciséis años, al pincharse con la aguja de una rueca. Aterrado, el soberano prohibió que hubiera ruecas en su reino. No obstante, un hada buena transformó el maleficio en un sueño de cien años. La princesa creció y cada día era más buena y hermosa.

2

Un día, cuando ya había cumplido dieciséis años, subió a la torre del castillo y se detuvo ante una puerta. Abrió y penetró en una habitación muy pequeña donde una vieja hilaba. Se acercó a la rueca y la tocó. Como no sabía manejarla, se pinchó un dedo. En ese mismo instante, se quedó profundamente dormida. Al mismo tiempo, todos los habitantes del palacio se durmieron también en el mismo lugar donde se encontraban. Sólo la vegetación no sufrió esa suerte y durante años y años creció tanto que llegó a cubrir el palacio con una muralla de matorrales espinosos.

3 Transcurrieron cien años, hasta que un día un joven príncipe pasó por aquellos parajes. Cuando vio el extraño muro de zarzas, se acercó.

Pronto llegó hasta el palacio donde descubrió a la joven dormida. Le pareció tan bella que la besó. La princesa se despertó al instante y todos los que estaban en el palacio también. Algunas semanas más tarde la hermosa princesa se casó con el joven príncipe y fueron muy felices.

Historia de la nuez

4

Abuelita acaba de contarle una historia a Bárbara, su nieta. Es la historia que todos conocemos del gusanito que tenía mucho frío en otoño y que con la ayuda del caracol se hizo una casita con la cáscara de una nuez.

—¡Qué listo!, dice Bárbara. Nunca hubiera pensado usar de esa manera la cáscara de una nuez.

—Bueno, hay muchas otras cosas que pueden hacerse con la cáscara de las nueces, responde abuelita. Ya veremos eso mañana.

5 Al día siguiente, como lo había prometido abuelita, sacó un paquete de nueces y también todo el material necesario para transformar las cáscaras en personajes o en juguetes.

Inspirada en la historia del gusanito, Bárbara decide hacer una tortuga.

—Y yo, dice abuelita, haré unos ratoncitos. Si les ponemos una bolita en la parte de abajo, podemos organizar carreras.

Bárbara y su abuelita empiezan a trabajar.

¡Cuántas cosas pueden hacerse con las nueces!

6

Empieza la caza

¡PAM! ¡PAM! ¡PAM! Juanito, el conejo, no sabe dónde esconderse. Es imposible asomar la nariz: las balas silban sin parar. Juanito decide ocultarse tranquilamente en el fondo de su madriguera. De pronto siente que la tierra se mueve y oye ladrar a un perro. ¿Qué puede hacer?

—Debo cavar y huir a toda velocidad hacia la madriguera vecina...

7 Después de mucho esfuerzo, Juanito logra llegar a casa de la liebre.

—¡Vaya, qué sorpresa! ¡Podrías entrar por la puerta!

—La temporada de caza ha empezado, señora liebre, y un perro viene pisándome los talones.

—Nada de pánico, amigo mío. Tengo todo previsto para estos casos. Sígueme.

La liebre lleva a Juanito hasta una madriguera muy bien protegida.

—Cierra bien ese pasaje que está detrás de ti. En dos minutos estaremos en el jardín de Mateo. Allí no tendremos miedo de ser molestados por los perversos cazadores...

8

La guerra de las almohadas

La gran diversión de Pedro y Gilberto es hacer cada mañana, al levantarse, una guerra de almohadas. Hoy todo terminó muy mal. Las cosas iban muy bien hasta el momento que rompieron la nueva lamparita de noche de Gilberto. Preocupada por tanto ruido, mamá llega a regañarlos:

—¡De ahora en adelante quedan prohibidas las guerras de almohadas!...

9

–¡Qué lástima!, dice Gilberto decepcionado.

–No te preocupes, responde Pedro. Tengo una idea; iremos a buscar bolsas de plástico en el armario.

–No sé qué pretendes hacer, pero te sigo, contesta Gilberto intrigado. Muy pronto los dos niños están en el jardín.

–¡Vamos, apresúrate!, exclama Pedro. Mamá nos ha permitido jugar aquí, podemos llenar las bolsas con hojas secas y serán unas almohadas perfectas. Gilberto está feliz. ¡Qué suerte que sea otoño!

10

La estación roja

El otoño ha llegado y la naturaleza se adormece antes del sueño de invierno.

La señora Martínez extendió sobre la mesa las fotos tomadas en el transcurso de una excursión.

–¡Miren esos árboles y díganme en qué los hacen pensar!

Los alumnos se inclinan y observan. Las frentes se arrugan, las imaginaciones trabajan...

11

—Ese árbol rojo me hace pensar en la cabellera de Marcelo, dice Lucas, Todos ríen a carcajadas.

—¡El sauce llorón parece una fuente de oro líquido!, exclama soñadora Mary.

—Y esos pinos parecen esmeraldas sobre la seda amarilla de un estuche.

—¡Bravo! ¿Pero de dónde sacas esas cosas?, pregunta Fany.

—¡Leo mucho!, responde Mary, es muy útil para poder redactar. Además al leer me instruyo y viajo por todas partes... sin alejarme de casa.

12

No confundir

Me llamo Chatis. Me parezco mucho a Pico, el castaño silvestre.

Como él, vivo en una pequeña envoltura verde erizada, pero más pequeña. Al contrario de Pico, al que nadie come, todos los animales se vuelven locos conmigo, sobre todo las ardillas. ¿Sabes que los hombres también aprecian mi sabor? En invierno me tuestan y me venden en la calle gritando:
¡Castañas calentitas! ¡Castañas calentitas!

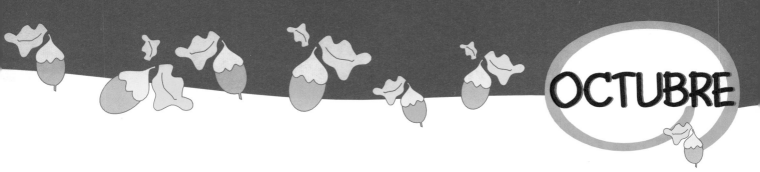

13 Las golondrinas

El otoño ya está muy bien instalado: las hojas se han vuelto amarillas y los días se hacen más cortos. Zip, la pequeña golondrina, ha dejado nuestra región para ir a pasar el invierno muy lejos, hacia el sur, en África, buscando climas más cálidos. Zip recorre miles de kilómetros cada año. ¡Qué hazaña tan formidable! El nido que dejó en un rincón de nuestra ventana esperará su regreso con impaciencia. Dentro de

pocos meses volverá junto con la primavera. ¡Hasta pronto querida golondrina! Y ¡buen viaje! ¿Sabías que si hay un nido de golondrinas bajo el techo de tu ventana, atraerá la buena suerte?

¡Más vale salir a tiempo 14

Damián es muy goloso. Todas las mañanas, antes de irse a la escuela, se prepara un pan con mantequilla y mermelada, galletas y frutas... que guarda en una caja. Hoy ha pasado mucho tiempo en la cocina y mamá le dice:

–Date prisa Damián. ¡Vas a tener que correr si no quieres llegar tarde a la escuela! Al ver la hora, Damián empieza a correr a toda la velocidad que le dan sus piernas. Para llegar más pronto, decide ir por el parque. Pero, ¡ay! tropieza con una piedra. Su mochila se abre y todo cae por tierra. ¡Pronto!, hay que recogerlo. Sin fijarse y sin reflexionar, Damián mete de cualquier modo todas sus cosas de nuevo en la mochila.

15

¡Uf! Damián llega a tiempo. Y ahora, tan goloso como es, espera impaciente la hora del recreo.

¿Pero qué pasa? Parece que la cartera de Damián está temblando. Todos los ojos se vuelven hacia el lugar de donde proviene el ruido.

–¡Oh!, exclama Damián asombrado. ¡Un ratón! ¿Cómo llegó hasta mi mochila? ¡Este travieso se comió mi merienda!... seguramente fue hace un rato cuando me caí... ¡La próxima vez saldré más temprano de casa!

16

Pájaros migratorios

Este será el primer viaje de Sindy, la cigüeña. Todos los preparativos están listos y las plumas bien alisadas. Cuando emprende el vuelo, su mamá la vigila de cerca.

–Si te cansas me lo dices, aconseja. Podrás sujetarte de mis alas.

Pero Sindy no pretende dejarse remolcar y sueña ya con ir a la cabeza del grupo.

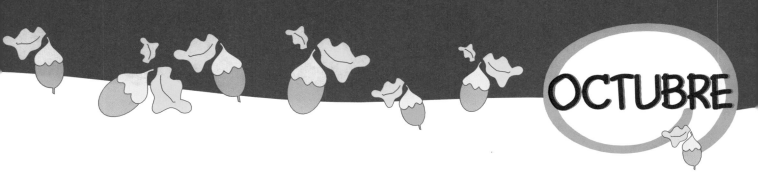

17

–¡Qué magníficos paisajes! ¡Tendré muchas historias que contar a mi regreso!, piensa Sindy.

Pero ignora los peligros que la esperan. Un poco más tarde estalla una violenta tormenta. Sindy está asustada y vuela a abrigarse bajo las alas de su mamá. Más tarde, la nieve impide a las aves encontrar su camino. Por encima del mar Sindy pasa el susto más grande de su vida: un enorme torbellino está a punto de llevársela. Afortunadamente un barco que navega cerca recoge a la familia entera. ¡Cuántas aventuras!

18

El patito feo

Mamá pato está muy orgullosa de sus patitos. Cada mañana los conduce al lago y les enseña a sumergirse, a buscar gusanitos y alguna otra comida, a defenderse de los depredadores y, en resumen, a comportarse como verdaderos patos. Acaba de empollar cinco huevos, los cuida de día y de noche y ahora ve como crecen sus patitos cerca de ella.

19

Sin embargo, se siente muy triste cuando observa a uno que no es como los demás. Es más grande, come mucho más y camina mal. En una palabra: ¡es muy feo!

Después de un mes, al comprender que nadie lo quiere y que su mamá lo rechaza, el patito feo trata de arreglárselas solo. En los bosques vecinos encuentra numerosos pájaros que le enseñan a escapar de los cazadores y a protegerse del fusil que mata. La vida es dura para aquellos que se han quedado a la orilla del lago y el patito feo se entera de que algunas aves, como los cisnes, han preferido volar hacia regiones donde el clima es más cálido. El invierno ha llegado, el estanque está congelado, la nieve cubre la tierra y es muy difícil encontrar comida.

20

Desesperado, el patito feo deja el estanque y camina durante mucho tiempo... al fin llega agotado hasta una casita, se acuesta cerca de la puerta y se duerme. Cuando despierta se encuentra cerca del fuego, cubierto por una manta y un plato de granos cerca de él. Una viejecita que vive en la casita lo acoge. En la primavera regresa al lago. Al inclinarse para beber ve reflejada en el agua la hermosa imagen de un ave blanca. El patito feo se ha convertido en un soberbio cisne blanco.

¡Pita siente vértigo!

21

¡Qué viento! Las hojas se mueven sin parar. Pita, una pequeña castaña, redonda y brillante, se esconde bajo su capa verde. Está en lo más alto de su castaño y siente vértigo.

Todas sus amigas ya se han caído. Ella tiene miedo y no se atreve a saltar:

–¡No tengo ganas de ser perforada y transformada en un horrible animal!, dice.

Pita trata de engancharse, pero...

–Necesitaría tener brazos, se queja, o mejor alas. Así podría volar muy lejos y aterrizar en una suave pradera... En ese momento, una ráfaga de viento sacude la rama en la que se encuentra y se la lleva. ¡Adiós pequeña castaña! ¿Qué será de ti?

22

¡PLOC! Pita rueda por el suelo. La caída no es muy dura. Mateo, que recoge hojas para su herbario, la ha oído caer.

–¡Qué hermosa castaña!, dice.

Estoy seguro de que si la siembro se convertirá en un árbol soberbio. Mateo regresa a casa y después abre un hoyo en el jardín y mete en él a Pita.

–¡Qué gentil eres!, dice Pita. Te prometo que llegaré a ser tan grande como los castaños de la escuela, pero necesitaré muchos años...

Un paseo por el bosque

23

Los alumnos del cuarto año salen
en grupos a dar un paseo por el bosque.
—¡Aquí tenemos dos castaños!, indica el profesor
Duval. Este es un castaño silvestre y este otro un
castaño de fruta comestible.
Díganme ¿cuál de estas dos frutas tiene mejor sabor?
—¡Las castañas silvestres!, responde Isabel.
—¡Las castañas, dice Silvano!
—Probaremos las dos, propone el maestro. Recojan algunas mientras hago fuego.
El profesor Duval amontona ramitas secas y hojas dentro de un círculo de piedras
grandes, después enciende un fósforo.

24

Los niños llevan las castañas y
forman dos montones separados.
El maestro hace unos pequeños cortes en la
piel de las castañas.
—Así no estallarán mientras se asan.
El profesor coloca las dos clases de castañas
sobre las piedras calientes.
Los alumnos que prueban las silvestres hacen
gestos.
—Ahora que todo el mundo se ha puesto de
acuerdo en decidir cuáles son mejores, sonríe el
profesor Duval, echaremos tierra húmeda en las
brasas antes de irnos.

OCTUBRE

Miga y la mariposa

25

Miga, la araña, está muy atareada. Los primeros fríos se han dejado sentir y hay que prepararse para el invierno. Desde el alba empieza a tejer entre dos ramas su última tela.

–¡Con tal de que no pase un moscardón o una abeja por aquí! Necesito tomar fuerzas.

Más como unas gotas de rocío se encuentran en la red elaborada por Miga, los insectos evitan fácilmente la trampa. De pronto, una mariposa que vuela buscando una flor, da vueltas alrededor de la tela sin tener cuidado. Y...¡cataplum!, cae en la trampa... Miga, feliz con tan hermosa presa, corre. Cuando ya está lista para atacar a la mariposa, titubea. ¿Se la comerá?

26

–¡Qué alas tan bonitas tienes! Parecen los pétalos de una flor, dice Miga. ¿De dónde vienes?

–Por favor, señora Miga, ¡tenga piedad de una pobre mariposa perdida!

–Sí, pero resulta que tengo hambre, responde Miga.

–Mis alas no la alimentarán. ¡Por favor! ¡Tenga piedad!, implora la mariposa.

–De acuerdo, pero no puedo hacer mucho por ti. Y, delicadamente, Miga libera a la mariposa con mucho cuidado para no maltratar sus alas...

27 Colgado de un árbol

Lidia y Pablo tienen un tío que es cazador. Cuando llega el otoño se dirige al bosque con su fusil y durante todo el día camina, observa y curiosea. Frecuentemente regresa con las manos vacías, pero con la cabeza llena de imágenes y sensaciones de todas clases. Un día les explica a los niños cómo deben construir un puesto de observación en los árboles. No hace falta nada más para que los niños se pongan a trabajar. Pronto está terminado. Los niños se sienten muy orgullosos. Necesitarán muchas ramas... y mucha paciencia, pero ¡qué bello resultado! El tío León ha prometido que lo inaugurarán mañana. Será necesario levantarse más temprano y llevar comida para el camino.

28

Llegó el gran día. Después de una hora de espera, Pablo ve un cervatillo.

–Mira Lidia, se acerca.

–Sí, contesta la niña. Pero dame el almuerzo porque me muero de hambre.

¡Qué lástima! Pablo se descuida y deja caer el bocadillo. Imposible recuperarlo sin asustar al cervatillo.

–¡Qué le vamos a hacer! Esperaremos, dice Lidia.

¿Qué es eso?... Una familia de conejos se ha reunido ante el almuerzo de Lidia y da buena cuenta de él.

¡Pobre niña! Tendrá que comer más tarde.

¡Mientras tanto se come a los conejos con los ojos!

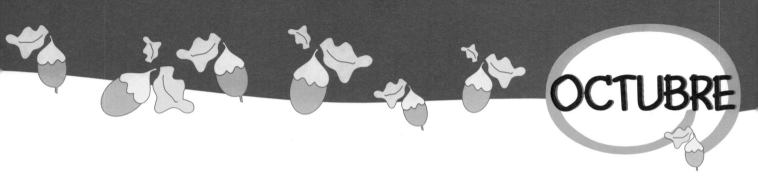

El lobo y la cigüeña

29

Un día, durante un banquete, un lobo comió tanto y tan deprisa para probarlo todo, que creyó que perdería la vida. En efecto, se dejó tentar por un ave y un hueso se le atravesó en el gaznate. Afortunadamente una cigüeña pasaba por allí y, al darse cuenta de los gestos desesperados que el lobo le hacía, corrió en su ayuda, dispuesta como siempre a hacer una buena obra. De un vistazo se dio cuenta de la situación. Sin decir una sola palabra y sin perder el tiempo, se dispuso a ayudar al desesperado lobo. La tarea parece ser ardua y larga. ¿Lo logrará?

30

¡Al fin pudo retirar el hueso con la ayuda de su largo pico! Por un azar del destino, estimó que podía tener una recompensa, lo cual era normal. El lobo, al oír estas pretensiones, recuperó muy pronto su voz.

–¿Cómo una recompensa? ¿Se atreve usted a pedirme una recompensa?, dijo muy enojado. ¿Está bromeando? ¿Qué no le basta con haber retirado su largo pico de mi gaznate? ¡Usted es una ingrata! ¡Váyase y no se acerque jamás a mí!

31 El ratón goloso

Ratoncillo y Minino, el gato, son dos buenos amigos que viven en la granja del señor Basilio. Un día, siguiendo los consejos del ratón gris, los dos traviesos se metieron en la despensa.

–¡La fiambrera se encuentra en ese rincón!, dice ratoncillo. Yo ya empecé mi trabajo ayer por la noche.

–¡Tenemos que apresurarnos!, aconseja Minino. Le tengo miedo al granjero.

Su amigo agranda un poco el hoyo que hizo en la reja, después entra en la alacena y devora el queso... sin olvidar dar un poco a Minino, el gato. Comen mucho... disfrutan del queso gruyere y del salami. De pronto, oyen pasos en la escalera.

–¡Cuidado, ahí viene Basilio!, advierte Minino. ¡Hay que ponerse a salvo!

Desafortunadamente, Ratoncillo ha comido tanto que no puede pasar por el hoyo... ¡El granjero se acerca!

El gato empuja la fiambrera y la hace caer al suelo donde se rompe en mil pedazos... El ratón aprovecha el momento para escapar a toda velocidad.

Los dos pillastres sintieron tanto miedo que decidieron no volver a robar comida.

Rosa Roja y Nieve Blanca

1

Había una vez dos jovencitas que vivían con su mamá en el campo. Una de ellas tenía el cabello rojizo y se llamaba Rosa Roja. La otra era rubia y respondía al nombre de Nieve Blanca. Una noche, la nieve cubrió todo el campo con un manto blanco. De pronto oyeron que alguien tocaba a la puerta. Cuando abrieron se encontraron ante un magnífico oso color café, casi muerto de frío. El oso entró y se calentó junto a la chimenea. Pasó el resto del invierno con ellas. Al llegar la primavera abandonó la casita con mucha tristeza. Un día de verano, las dos hermanas encontraron en el bosque a un duende que tenía una larga barba blanca.

2

Parecía estar en dificultades, pues un águila trataba de llevárselo. Las jovencitas lograron hacer huir al ave rapaz. Mas el duendecillo, en lugar de darles las gracias, trató a las dos niñas de forma muy grosera. Pocos días después lo encontraron con la barba enredada en su caña de pescar. Lo ayudaron a liberarse pero el enanito no fue más agradecido esta vez. A la mañana siguiente vieron que tenía enganchada la barba en el tronco de un árbol. Las dos hermanas no dudaron en cortársela y en liberarlo, a pesar de sus malos modos.

En ese momento, su amigo, el oso, surgió de entre los matorrales y le dio al duendecillo una buena lección.

Después, ante los ojos asombrados de las dos niñas, el oso se convirtió en un joven muy guapo, mientras que el malvado enano se transformó en una piedra. El joven había sido encantado por el enano que era un brujo. Gracias a las tres intervenciones de las dos jovencitas habían logrado romper el encanto. El joven príncipe se casó con Rosa Roja y poco tiempo después Nieve Blanca se casó con un hermano del príncipe. Todos fueron muy felices.

3

4

Un nuevo amigo

–¡Les presento a Oliver!, anunció el profesor López a sus alumnos.

Viene de Monterrey y ahora vivirá cerca de la casa de Ivan... ¿Hay un lugar libre por ahí?

–¡Aquí maestro!, indica Martín levantando la mano.

–¡Perfecto!, agradeció el maestro. Ana, toma un cuaderno de ejercicios y dáselo a nuestro nuevo amigo. Vamos a empezar por la conjugación.

Más tarde, el profesor López echó un vistazo a la tarea de Oliver y después de corregirla dijo:

5

–En matemáticas estás muy adelantado; pero en español te faltan dos o tres lecciones... ¿Quién quiere ayudar a Oliver a ponerse al corriente? Marcos levanta un dedo temblando... Los demás niños se miran asombrados.

–¡A mí no me sorprende!, afirma el maestro. Marcos es un muchacho tímido, pero podemos contar con él cuando tenemos un problema... ¡Te felicito Marcos!

6

Dulce encuentro

Pani busca un refugio para pasar el invierno, sin embargo todos los lugares están ya ocupados. La ardillita desesperada empieza a llorar:

–¡Voy a morirme de frío si no encuentro abrigo antes de que llegue el invierno!

–Ven a compartir mi nido, le propone Castañita con voz muy dulce. Hay lugar para las dos.

Las ardillas pasaron el invierno muy contentas en el calor de su refugio. No les faltó nada. Cuando llegó la primavera se casaron y fueron muy felices.

La niebla

7

Esta noche hace mucho frío. Como de costumbre, Mateo se acurruca en su cama, pero aún pasa mucho tiempo antes de que entre en calor. Por fin se duerme con los pies helados. A la mañana siguiente, al despertar, Mateo se lleva una gran sorpresa.

–¿Qué pasa?, se pregunta acercándose a la ventana. No se ve nada. ¿Dónde están los árboles? ¡El estanque ha desaparecido! Nervioso, Mateo baja rápidamente a ver a sus padres que le han preparado un sabroso desayuno. Mas él no tiene hambre. Está muy intrigado por el misterio que rodea su casa. Sin esperar, sale al jardín...

8

–¡Es increíble! ¡No puedo caminar!, dice Mateo. Apenas logro ver mis pies...

Regresa a la cocina y le pregunta a su padre.

–¿Qué es lo que ocurre papá?

–Tranquilízate hijito. Ha caído una espesa niebla esta noche. ¿Sabes lo que es la niebla? La casa y el campo están cubiertos por una especie de nube. Lo que te impide ver más allá de tu nariz son unas gotitas muy finas que están suspendidas en el aire. Ten paciencia. En unas cuantas horas, el sol acabará por disipar esta neblina...

Cajas y botitas

9

Si David no hubiera necesitado unas botitas nuevas, nunca se le hubiera ocurrido pedirle al vendedor unas cajas de zapatos. ¡Uno no se imagina todo lo que se puede hacer con esas lindas cajas de cartón! David pone manos a la obra. Para facilitar el trabajo se ha rodeado de numerosos objetos que pueden serle muy útiles: pintura, papel adhesivo, rollos de papel de baño, bolitas de colores, pegamento, tijeras... La mesa está tan llena de cosas que David no sabe por dónde empezar: ¡Tiene tantas ideas! ¿Cuál será su primer trabajo manual? A ver si lo adivinas...

10

Aquí tenemos la primera caja transformada: se ha convertido en un túnel para el trenecito de madera de Javier, el hermanito de David. La segunda caja será para Mary. Bien recortadita y adornada, servirá para hacer una cama para su muñeca. Mamá ya terminó una canasta de frutas. Ahora va a hacer un garaje donde podrá guardar todos los cochecitos de los niños. ¡Qué tarde tan bonita! ¡Y pensar que David creía que se aburriría por tener que ir de compras para el invierno!

11 El zorro y la cigüeña

Un buen día por la mañana, el señor Zorro decidió invitar a cenar en su casa a su vecina la cigüeña. Por lo general, el señor Zorro come muy poco, pero ese día no colocó platos pequeños sobre los grandes. El menú se compuso únicamente de un caldo magro que sirvió en un plato de sopa. La pobre cigüeña, con su largo pico, no pudo tomar ni una sola gota, mientras que su anfitrión se tomó todo en un momento. Para vengarse de este engaño, la cigüeña también lo invitó a su casa. A la hora indicada, el señor Zorro se presentó en el domicilio de su vecina.

12

Un delicioso aroma se escapaba de la cocina. Pronto se sirvió la carne en pedazos pequeños y muy tierna. No obstante, la cigüeña, para molestar al zorro, en vez de servirla en un plato, introdujo la carne en un vaso de largo cuello y además estrecho. El pico de la cigüeña pudo pasar muy bien, pero el zorro no pudo meter su hocico, por ello regresó a su casa con el estómago vacío, avergonzado, con la cola entre las piernas y las orejas gachas. Esta historia ha sido escrita especialmente para los tramposos: Esperen siempre a que les hagan lo mismo que ustedes hacen.

13 Objetos perdidos

–¡Vaya! ¿Ya no hay leche en el refrigerador?, pregunta papá. Qué extraño, tengo la impresión de que aún quedaba una botella.

–¿Y dónde estará el cesto de la ropa sucia?, dice mamá ante un montón de ropa.

–¿Alguien vio mi tejido?, grita la abuelita desde el sillón de la sala donde tiene la costumbre de descansar.

–¿Qué pasa? No encuentro el cojín de mi cama, exclama Bruno, intrigado por tan repentinas desapariciones. ¡No es normal! Necesito aclarar este asunto. En primer lugar: ¿Dónde está Carolina?...

Bruno recorre la casa decidido a encontrar a su hermanita.

14

Bruno conoce muy bien a Carolina y está seguro de que ella debe saber dónde se encuentran todos los objetos supuestamente desaparecidos. Un ruido en el garaje llama su atención: alguien habla.

–¡Era obvio!, exclama Bruno al descubrir a su hermana inclinada ante el canasto de la ropa. ¡Ya lo sabía! ¿Qué haces?

–Mira, responde Carolina. No iba a dejar a este pobre erizo, tan pequeñito, muriéndose de frío. Lo encontré en la orilla del camino.

–¡Quiero que se quede con nosotros durante todo el invierno!...

¡Qué viajeros! 15

No todas las aves emigran cuando llega el mal tiempo. Muchas no tienen la suerte de viajar hacia los países cálidos y deben adaptarse a los rigores invernales.

Simón, el gorrión, envidia los aletazos de las aves que pasan por encima de su cabeza (ocas, grullas y cigüeñas).

–¿Y si lo intentara?, piensa. Necesitaría un buen compañero...

Sin tardanza habla con su amigo René, el pinzón.

–Buena idea, aprueba éste. Sólo que tenemos que seguir el próximo vuelo de los patos salvajes...

Nuestros dos amigos van tras las huellas de los patos, camino hacia nuevas aventuras...

16

Después de dos horas de vuelo, Simón y René están extenuados.

–Ya no siento mis alas, se queja René.

–¿Llegaremos pronto?, pregunta Simón impaciente. Ambos deciden ir a comer algo en un jardín y descansar un poco. En cambio, los patos continúan su ruta a toda velocidad.

–Somos muy ambiciosos al querer seguir a las grandes aves migratorias, admite René. Regresemos a nuestro pueblo antes de que nos perdamos por el camino.

Pinocho

17

Había una vez un viejo carpintero llamado Gepetto. No tenía familia y vivía solo. Después de un día de intenso trabajo, le gustaba esculpir muñequitos de madera. Una noche, un hada buena decidió recompensarlo y transformó una de sus marionetas en un niño de verdad. Gepetto, loco de alegría, le puso por nombre Pinocho y lo inscribió en la mejor escuela del pueblo. Pero ¡qué lástima! Pinocho no tenía el mayor interés en estudiar y se dejaba llevar por dos vagos que había encontrado en el camino de la escuela. Pronto estuvo prisionero de un hombre que tenía un circo de marionetas quien, entre una representación y otra, lo mantenía encerrado en una caja.

18

Pinocho echaba de menos su vida en la escuela y, un día, llamó al hada buena para que lo ayudara. El hada le pidió que le contara toda la verdad, sin embargo, el niño empezó a contar mentiras. De pronto se dio cuenta aterrado, de que su nariz crecía conforme decía más mentiras. El hada consideró que la lección había sido suficiente y permitió que la nariz de Pinocho volviera a su tamaño normal. Después lo hizo salir de la caja explicándole que Gepetto, muy triste por su desaparición, había abandonado la casa.

19

Una enorme ballena se lo había tragado. Pinocho, al darse cuenta de todo el mal que había hecho al viejo carpintero, decidió salvarlo y se sumergió en el mar. La ballena también se lo tragó a él y los dos se encontraron dentro del estómago del enorme animal. Entonces se les ocurrió la idea de hacer una fogata con la cual provocaron un terrible dolor de estómago a la ballena que se vio obligada a liberar a nuestros dos amigos. Una vez en tierra firme, y muy contentos, Gepetto volvió a su trabajo y Pinocho fue desde ese día un niño ejemplar.

20

Los cazadores

Demetrio, Alejandro y Sonia pasean por el bosque. Cuando llegan cerca del río se detienen y apoyan sus mochilas en las rocas. Una culata de fusil sobresale de la mochila de Alex...
Nuestros amigos comen unas galletitas y después se ocultan en silencio bajo unas mantas.
Escondidos esperan a que los animales salvajes se acerquen a beber agua.

21

Los tres niños hacen una apuesta en voz baja para adivinar cual será el primer animal que aparecerá: un cervatillo, un jabalí o una liebre. Nadie acierta, porque lo primero que ven es una cierva. Con las orejas erguidas, resoplando y con pasos titubeantes, se acerca poco a poco al agua.

Sin hacer ruido, Alex se prepara, apunta y... ¡clic! Toma una foto.

−Soy un terrible cazador... de imágenes, gracias a este sistema que inventó mi papá, murmura mientras da golpecitos a la brillante culata del rifle.

22

¡Contra el frío!

Esta mañana, Pablo se levantó muy temprano. Ahora está en el jardín ocupado en una curiosa tarea. Con la azada abre grandes hoyos alrededor de todos los pequeños arbustos del jardín.

−¿Qué haces, Pablo?, le pregunta el cartero.

−No tengo tiempo de explicarle... ya se lo diré otro día...

¿Qué idea tendrá en la cabeza?

23

Al descubrir por la ventana lo que hace su hijo, mamá se preocupa y sale precipitadamente.

–¿Por qué estás removiendo la tierra, Pablo?

–¡Mamá!, ¡es para ayudar a las plantas y a los árboles!... ¡Oí en la televisión que va a nevar y se morirán de frío! Hay que meterlos en un lugar caliente. Pueden estar en mi habitación antes de que hiele.

Mamá levanta los brazos al cielo. Siempre es lo mismo con Pablo: Está lleno de buenas intenciones, ¡pero reflexiona muy poco antes de actuar!...

24

Árboles-brújula

Mateo se ha perdido en el corazón del bosque. Él sabe que el camino de casa está hacia el norte. ¿Cómo podrá encontrarlo?

Mateo se da cuenta de que todos los árboles gruesos están cubiertos de musgo, siempre en la misma parte del tronco.

–Ya sé, dice. El musgo indica el norte. Sólo tengo que seguir esa dirección y encontraré mi camino.

Plantemos árboles

25

–¡El día de Santa Catalina, cualquier madera germina!, dice un refrán. Por ello los alumnos del profesor Durán tratarán de comprobarlo... Plantan tres hayas, sin olvidarse de clavar los rodrigones, porque sino las ráfagas de viento pueden arrancar la tierna rama del árbol.

Luego colocan una tela de alambre alrededor para impedir que los gatos rasquen los troncos...

Bien... ahora sólo falta poner un poco de paja alrededor para proteger las raíces durante el invierno.

26

–¡Que llegue pronto la primavera! Ya quiero ver los retoños y luego las hojas..., dice Elena.

–¿Cuándo llegarán a la edad adulta?, pregunta Patricio.

–¡En unos quince o veinte años, chiquitín!

–Entonces no sirve de nada lo que hemos hecho: ¡nosotros no los disfrutaremos!

–No, no los disfrutarán... Pero cuando sean adultos y vean a los niños, quizá a sus hijos, jugar a la sombra de estos árboles se dirán: "¡Fue una buena idea!" Y se sentirán muy orgullosos de ustedes mismos.

¡La corneja está a salvo!

Aunque hace mucho frío, Mateo decide dar un paseo por el campo. A la orilla del camino oye un gorjeo extraño.

–¡Vaya!, dice, normalmente las cornejas vuelan muy alto por los árboles...

Intrigado, se acerca y... ¡sorpresa!; ve una pequeña corneja atemorizada.

–Parece estar herida. Debe haber sido atropellada por un coche o atacada por un halcón...

Efectivamente, el pájaro no puede volar. Sus ojos suplican ayuda.

–No te preocupes, dice Mateo. Te voy a curar en mi casa.

Y la lleva con delicadeza en sus manos.

Confortablemente instalada en una caja, la corneja recupera sus fuerzas. Para darle las gracias a su salvador lanza algunos ¡CROA-CROA!

–Creo que puedes hablar, afirma Mateo. Repite después de mí: MA-TEO, MA-TEO...

La corneja no necesita mucho tiempo para aprender la lección. Y alegremente pronuncia el nombre de su amigo.

–Así, sugiere Mateo, cuando necesites de mí, no tienes más que llamarme y acudiré enseguida.

El vendedor de castañas

29

El señor Beltrán es un vendedor de castañas. Cada invierno, en la plaza principal del pueblo, pequeños y grandes lo encuentran con alegría ante su brasero lleno de carbones ardientes. Lo único que la gente lamenta cuando lo ven, es que nunca sonríe. Hay que decir también que el señor Beltrán vive muy solo y eso no siempre es agradable.

Hoy, una gruesa capa de nieve cubre las calles. El señor Beltrán ha salido de su casa y tiene que recorrer un largo camino antes de llegar a la plaza principal... De pronto, en el trayecto, el anciano se detiene. Un montoncito de nieve acaba de moverse a la orilla del camino. ¿Qué será?

30

Con mucho cuidado, el señor Beltrán se inclina hacia el pequeño montículo que ha llamado su atención. ¿Qué habrá debajo de la nieve? ¡Oh! ¡Es un gatito! Está medio muerto de frío. Con mucho cuidado, el señor Beltrán libera al pobre animalito. Apretando dulcemente al gatito contra su cuerpo, da media vuelta hacia su casa. Curiosamente, una sonrisa aparece en su rostro. Es seguro que la gente lo encontrará mañana muy cambiado. Si preguntan por qué, cuéntales la historia del gatito.

La pista de patinaje

1

El termómetro exterior indica...
¡siete grados bajo cero! Los niños están encantados porque con este tiempo van a divertirse mucho. Salen muy abrigados y preparan una larga y ancha pista para patinar al final de una calle sin salida. Uno por uno se lanzan lo mejor que pueden y se deslizan por el hielo brillante y uniforme.

Algunos se deslizan con los pies separados o unidos; otros, los más experimentados, los "campeones", las "estrellas", ¡doblan las rodillas! Y se impulsan dando grandes saltos antes de llegar al final de la pista. El gran Luis puede incluso deslizarse sobre un pie ante la mirada atónita de sus compañeros. ¿Juanito también será tan hábil?

2

Se impulsa y pierde el equilibrio. Su cabeza se golpea con fuerza sobre la pista... Todos los niños sueltan la carcajada menos Luis que ha oído el ruido del golpe.

–No es nada grave, lo tranquiliza. Luego le ayuda a levantarse.

–Ten, toma mi pañuelo y seca tus lágrimas, porque si no van a congelarse y formarán pequeñas pistas de patinaje para las moscas. Juanito lo mira y sonríe.

–Ahora, voy a explicarte qué es lo que debes hacer para no caerte...

Sueño de invierno 3

En su profundo sueño de invierno, Tico, el erizo, tiene un sueño increíble. Ve ante él un inmenso canasto de hermosas manzanas rojas que le ha llevado Tica, su amiga. Ésta le prohibe comerlas:
–Si comes una sola de estas manzanas te convertirás en un gusanito, le dice.
Tico no cree en esas historias y, cuando cae la noche, una irresistible glotonería lo impulsa hacia el canasto.
–¿Por qué me habría de transformar en gusanito?, se pregunta. Estas manzanas deben estar deliciosas.
Y con grandes bocados devora la manzana más grande. Luego decide dormir la siesta. ¿Qué le sucederá?

4

Tico ya no sabe como acostarse. Siente un terrible dolor de estómago.
–Pronto se me pasará, dice. He comido demasiado, eso es todo.
Pero el dolor no cede. De repente, Tico siente que pierde sus espinas y las patas se van convirtiendo en cola.
–¿Qué me pasa? ¡Ahora parezco un horrible gusanito! Entonces recuerda la advertencia de Tica. Presa del pánico se despierta sudando y observa sus patas, luego sus espinas: nada ha cambiado. ¡Uf! ¡Qué alivio! ¡Sólo era un mal sueño!

El día de san Nicolás 5

En los países del norte de Europa hay una tradición muy bonita en la que San Nicolás, arrastrado por su trineo, lleva regalos a los niños. Esta es la historia de lo que ocurrió en casa de Juan y Mireya un día de San Nicolás...

Juan y Mireya no durmieron bien: ¡papá y mamá les anunciaron la visita de San Nicolás!

Con el corazón dando brincos, los dos niños bajaron la escalera de puntillas y entraron con mucha precaución en la sala...

¡Qué sorpresa! ¡Había juguetes y dulces alrededor de la chimenea! Los de la izquierda eran para Mireya y los de la derecha para Juan... Nuestros amigos desenvolvieron todos los regalos, probaron un muñeco de chocolate y un cerdito de mazapán... Papá tomó algunas fotos y mamá empezó a preparar el desayuno: pan dulce y chocolate caliente.

La verdad es que la comida no les interesa mucho ahora. Están muy ocupados con sus juguetes. Juan y su hermana dedican el día entero a jugar.

–Ya es hora de ir a la cama, niños, dice mamá. Mireya y su hermano intercambian una mirada, después colocan un juguete y unos dulces en la chimenea.

–¡San Nicolás podrá llevárselos a los niños que no tienen nada!, explican nuestros amigos.

–¡Estamos muy orgullosos!, les dice papá abrazándolos.

DICIEMBRE

7

¡Increíble!

Todos los que conocen bien a Sofía saben que tiene un osito de color café que es su consentido y no lo deja nunca. Sin embargo, un día, le ocurrió una aventura muy curiosa. Había nevado mucho y Sofía estuvo jugando con sus amigos todo el día. Empezaron por hacer un precioso muñeco de nieve al que le pusieron un viejo sombrero de paja y una bufanda que encontraron en el sótano de su casa.

Después organizaron carreras de trineos y batallas con bolas de nieve. También jugaron a deslizarse por las calles congeladas... Pero de regreso a casa, Sofía se llevó un gran disgusto ¡no encontró a su "osito café"!...

8

—Te aseguro Sofía que mañana encontraremos a tu osito café, le dijo papá al acostarla. No llores... iremos a buscarlo juntos.

Sofía pasó muy mala noche. Tuvo muchas pesadillas. Lo que ella no sabía era que a la mañana siguiente, como le había dicho papá, encontraría a su osito... ¿sabes dónde?... En la bufanda, apretado entre los brazos del muñeco de nieve. Nadie entendió nunca cómo llegó hasta allí.

¡Qué bueno está!

No todos los regalos se compran. Y con frecuencia los más hermosos son los que uno mismo hace con gusto y para divertirse. Cada año, cerca de Navidad, Carolina y Miguel hacen trufas de chocolate que después ofrecerán a su abuelita Margarita. Hoy es el "día de las trufas". Mamá ha reunido todos los ingredientes en la mesa de la cocina: 200 gramos de chocolate, 60 gramos de mantequilla, una yema de huevo, 4 cucharadas soperas de azúcar en polvo, cacao en polvo, y unos treinta moldecitos de papel para depositar cada trufa. Carolina prepara una caja envuelta para regalo.

9

10

Para Carolina y Miguel, el momento más divertido de la preparación es cuando la pasta ya está fría y lista para extenderse con el rodillo. Se llenan los dedos de chocolate...
¡Están felices!
–¡Miren ésta, qué redondita está!, dice Miguel.
–La mía es más gruesa, indica Carolina. No va a servir, ¡mejor me la como!
Afortunadamente mamá vigila a los pequeños pasteleros: ¡Hay que dejar trufas para abuelita!

¿Se detiene la vida? 11

El invierno se aproxima. En el campo reina un silencio total. Un gran halo luminoso rodea la luna. Va a helar. El cielo está lleno de estrellas. Los animales se apresuran a hacer sus últimos preparativos: necesitan mucha comida y sobretodo un refugio que los proteja de la nieve y del hielo. El campo se duerme lentamente... No se despertará hasta que aparezcan los primeros rayos del sol, en primavera, dentro de unos tres largos meses. Parece que los animales hubieran desaparecido. Tú también sales poco en invierno y prefieres el calor del hogar. Pues bien, los animales también prefieren permanecer bajo el abrigo de sus madrigueras. Algunos, como el erizo, deciden dormir ¡durante todo el invierno!

El caballo y el lobo 12

Cuando llega la primavera, los animales abandonan sus refugios y se van a los prados. Cierto día, un lobo hambriento descubrió un soberbio caballo. Sin embargo, el caballo era demasiado grande para el lobo, por lo que éste decidió engañarlo.

–¿Sabe usted querido amigo, que yo conozco todas las plantas de este prado y también puedo decirle para qué sirve cada una de ellas? Si le duele algo o sufre de algún mal, dígamelo, y lo curaré. El caballo que era muy desconfiado, comprendió el engaño del lobo y le respondió:

–Acérquese amigo. Se me ha clavado una espina en la pata y me lastima mucho ¿podría usted aliviar mi dolor?

Seguro de que había caído en su trampa, el lobo se acercó rápidamente al caballo:

13

—Por supuesto lo curaré enseguida y, además, gratis.

Se acercó a la pata del caballo y... ¡CUÁS! De una patada certera, el caballo dejó al lobo fuera de combate.

—Bien hecho, dijo el lobo muy triste. Cada quien debe ocuparse de su oficio. ¿Por qué si aprendí de mi padre el oficio de carnicero quise intentar ejercer la medicina?

Buenos deseos **14**

¡Cuánto trabajo tiene Pedro, el cartero, en esta época de fiestas! Ya no puede más, su cartera está sobrecargada de tarjetas y de buenos deseos. Además hace mucho frío y es muy difícil caminar por las resbalosas calles. Por supuesto, cuenta con la sonrisa de la gente a quien le entrega las cartas. Mas tiene sus dedos congelados y la espalda muy cansada.

—¡Ah! ¡Si pudiera descansar un poco!, piensa a veces...

15

Se distrae con sus pensamientos y... de pronto ¡PATAPLÚM! Resbala en el pavimento congelado. Se lastima tanto que no puede mover la pierna. ¿Se la habrá fracturado?...

–¡Pues sí!, le dijeron en el hospital. Pedro está entre incómodo y tranquilo. Ese descanso forzoso no le vendrá mal, sólo que ¡se va a sentir muy solo!... ¡Bravo, Pedro!... El no sabe todavía que al enterarse de su accidente, todo el barrio se reunió para escribirle una hermosa tarjeta. Al menos por esta vez todos los buenos deseos serán para él.

Señora Nieve

16

Una hermosa niña vivía con su madrastra y su hermanastra. Le gustaba siempre servir a los demás. Un día, cuando estaba en el jardín, se le cayó su pelota en el pozo. Al inclinarse para recuperarla, cayó en el interior.

Al llegar al fondo, descubrió un hermoso jardín cubierto de bellas flores.

Sorprendida, vio a lo lejos una casa y, curiosa, se dirigió hacia ella. Por el camino se encontró con un horno en el cual se cocían unos panecillos.

17

−¡Sácanos de aquí! ¡Tenemos mucho calor!, oyó que le gritaban. La niña hizo lo que los panecillos le pedían.

Más adelante, un manzano sobrecargado de frutas muy grandes y pesadas, le dijo:

−¿Podrías sacudir mis ramas para que caigan todas las manzanas maduras?

La niña, servicial como siempre, sacudió con todas sus fuerzas las ramas del manzano. Por fin llegó a la puerta de la casa y tocó. Una anciana, de aspecto muy dulce, abrió la puerta. Era la señora Nieve quien, al verla, le pidió que la ayudara en las tareas de la casa. Cuando terminó de hacer toda la limpieza, sacudió los edredones y de pronto... ¡Todo el paisaje se llenó de nieve! La señora Nieve, muy satisfecha, le indicó el camino para regresar a su casa. Al pasar por la puerta ¡una lluvia de monedas de oro cayó sobre su delantal!

18

Al llegar de nuevo a casa, nuestra amiga contó su aventura y su media hermana decidió ir también a conseguir un tesoro, pero como era muy perezosa no quiso ayudar a nadie. Bajó al fondo del pozo, llegó al jardín, y no prestó atención ni a los panecillos, ni al manzano, ni ayudó a la señora Nieve en los trabajos de la casa.

−¡Regresa entonces por donde viniste!, dijo entonces la señora Nieve. Y cuando la desidiosa niña pasó por la puerta, le cayó encima de la cabeza un barrilito de alquitrán.

19

La llave

–¿Qué es esto?, piensa Isabel inclinándose por debajo del armario. Parece que brilla algo por allí... Sí, es una llave. ¿De dónde será? Voy a buscar a Julián, quizá él pueda decirme si la reconoce.

–No, responde Julián, no sé de dónde puede ser. ¿Y si la probamos en las cerraduras? Puede ser la llave del sótano.

–Seguramente no, dice Isabel. Ésta es mucho más pequeña, más bien parece la llave de un armario. Apuesto que es de la alacena donde mamá guarda las galletas y los dulces... ¡Chsss! ¡No tenemos suerte! No entra en la cerradura. ¡Lástima! Me hubiera gustado que ésta fuera la llave.

20

Hace un buen rato que Isabel y Julián buscan el origen de la misteriosa llave.

–¡Sólo está el cuartito que hay debajo de la escalera!, dice Julián. Voy a hacer un último intento allí.

¡MILAGRO! Esta vez funcionó. Pero...

–¿Qué pasa?, pregunta Isabel. Déjame ver.

¡Qué alegría para los dos niños! Por casualidad acaban de descubrir donde guarda mamá las guirnaldas y las esferas de Navidad.

¡Pronto! Vamos a decorar la casa. ¡Mamá va a llevarse una gran sorpresa!...

¡Llegó el invierno!

21

¿Qué pasa? Juanito, el conejo, no cree lo que ven sus ojos: todo el campo se ha cubierto con un inmenso tapiz blanco. Como Juanito sólo tiene tres meses nunca ha visto la nieve. Asustado, va corriendo hacia donde está su mamá:

—¡Mamá, mamá! ¡No puedo salir! ¡Un enorme edredón blanco cubre los campos!

Juana, su mamá, lo tranquiliza.

—No temas. Ha nevado esta noche. Puedes correr a través de los campos. Sal y diviértete...

—Pero hace mucho frío, responde Juanito. ¡Acompáñame!

—No, tengo muchas cosas que hacer en casa. ¿Por qué no vas a buscar a Joaquín en la madriguera vecina? No olvides ponerte un gorro y una bufanda.

22

Con unos cuantos saltos, Juanito llega a casa de Joaquín. Su papá está nervioso:

—Traten de esconderse de los cazadores. Sobre el fondo blanco, serán una presa fácil... No se alejen mucho de la madriguera.

Nuestros amigos libran una gran batalla con bolas de nieve. Juanito lleva todo lo necesario mientras Joaquín forma enormes bolas de nieve.

La Navidad   23

—¡Llegaron las vacaciones de Navidad! ¡Es increíble lo rápidamente que pasa el tiempo!, dice papá suspirando mientras desempaca el árbol de Navidad. Alicia y Pedro llevan dos cajas que contienen luces intermitentes, guirnaldas y esferas para decorar. El señor Moreno coloca el árbol de Navidad en una mesa baja, luego verifica el buen funcionamiento de las luces.

—¡Ya podemos ponerlas!, exclama . Después colgaremos las esferas y, por último, las guirnaldas. Nuestros amigos se ponen a trabajar con mucho gusto. ¡Qué alegría da adornar el árbol! ¡Y preparar el pesebre! La noche del 24 de diciembre mamá y papá les darán un regalo a sus hijos.

   24

¿Qué sorpresa les espera? A su vez, los papás de Alicia y Pedro recibirán un presente.

—¡Ojalá les guste!, dice Alicia abrazando a sus padres.

—Es porque los amamos, agrega Pedrito, sonriente.

Emocionados, el señor y la señora Moreno abren el paquete y... ¡Es una foto! La ampliación de una foto de toda la familia Moreno, dentro de un bonito marco.

—¡Gracias hijos!, dicen a coro papá y mamá.

—¡Somos muy felices!, responden Pedro y Alicia.

Comida de familia

Los señores Moreno han invitado a comer a sus padres para celebrar la Navidad. Mientras papá se ocupa de los vinos, aperitivos y otras bebidas, mamá con Pedro y Alicia preparan los diferentes platillos.

–¡A mí lo que me interesa es el postre!, dice la niña.

–¿Nos dejarás preparar el pastel de Navidad?, pregunta Pedro.

–¡Vamos por orden!, explica su madre. Empezaremos por el primer plato: ensalada de cangrejo en una hoja de lechuga y pedacitos de huevo duro. Luego prepararemos el siguiente plato: crema de espárragos...

Después pavo relleno acompañado de orejones de durazno, arándanos y ruedas de papa; éste será el plato principal.

–¡Qué festín!, exclama maravillado Pedro. ¿Y el pastel de Navidad?

–¡Aquí está!, dice la señora Moreno. Ahora vamos a decorarlo... seriamente.

–¡Cómo nos conoces!, sonríe Alicia.

–¡Así es!, responde mamá con un tono malicioso. Ya los...

Pedrito saca los frascos de crema del refrigerador y Alicia prepara las duyas de repostería.

–¡Hay que probar la crema!, propone nuestro amigo. Puede estar agria...

–¡Es un buen pretexto!, aprueba su hermana sin titubear.

–¡No olviden dejar para decorar el pastel!, les recuerda mamá sonriente.

–¡Que llegue pronto la hora de la comida para probar el postre!, murmura Alicia al oído de su hermano.

Hansel y Gretel

26

Había una vez un matrimonio de leñadores muy pobres que vivían en una cabaña con sus hijos, Hansel y Gretel. Un día, cuando ya no tenían nada para comer, el leñador decidió abandonar a sus hijos en el bosque. Por la mañana muy temprano partió con Hansel y Gretel. Al llegar bastante lejos de donde vivían, el leñador hizo una fogata, les recomendó que se quedaran cerca del fuego y se marchó. Cuando empezó a hacerse de noche, los niños estaban muy asustados y trataron de regresar a su casa, pero no conocían muy bien el bosque. Después de mucho caminar llegaron hasta la puerta de una linda casita.

27

Su techo era de chocolate, sus muros de pan dulce y las ventanas de azúcar. Los dos niños, que estaban hambrientos, mordieron los muros de pan. De pronto, una anciana pareció en el umbral. Los invitó a pasar, les dio de comer y los albergó. En realidad la anciana era una bruja. Encerró al niño en una jaula, decidida a engordarlo, mientras que Gretel hacía todos los quehaceres de la casa.

Cada mañana, la bruja le pedía a Hansel que le mostrara el dedo meñique para ver si estaba engordando.

28

Pero como no veía bien, Hansel la engañaba mostrándole un hueso de pollo en lugar de su dedo.

Por fin la bruja perdió la paciencia. Flaco o gordo se lo comería. Ordenó a Gretel que hirviera agua en una enorme olla. Poco después, la niña le pidió a la bruja que comprobara si el agua estaba bien caliente. Cuando la vieja se inclinó sobre la olla, Gretel le dio un fuerte empujón y la hizo caer dentro del agua hirviendo. Después liberó a su hermano y los dos, por fin, pudieron encontrar a sus padres, a quienes llevaron todas las riquezas de la bruja. Nunca volvieron a pasar hambre y fueron muy felices.

Cometodo tiene hambre

29

Cometodo, la ardilla, ya no tenía provisiones y recorrió el bosque en busca de comida.

—¡Has sido muy golosa, amiga mía!, le dijo el roble. En la vida hay que ser previsor.

—¡No volverá a pasarme!, respondió la ardilla lloriqueando.

—Mira bajo esa piedra: ahí escondí unas bellotas para los imprudentes.

—¡Eres muy gentil!, agradeció Cometodo. ¡Siempre me acordaré de esta lección!

El baile de San Silvestre

30

Hay gran agitación en el salón de fiestas del pueblo. Como cada año, el baile de San Silvestre se celebrará allí y todos los lugareños se alegran de participar. Este año, el alcalde encargó la decoración del salón a las niñas del pueblo... quienes aceptaron con mucho gusto esta tarea tan importante. Antonio, que es un niño muy organizado, fue nombrado el responsable. Con él cada niño sabe exactamente lo que debe hacer. El equipo de Susana se ocupa de las guirnaldas que deben colgar de las paredes... ¿Qué falta ahora?

31

Las más pequeñas se han encargado de comprar las narices de cartón, serpentinas, sombreros de todas clases y otras fantasías. La noche de fin de año los lugareños descubren la bonita decoración.
–¡Magnífico!, comenta el carnicero.
–¡Soberbio!, exclama la panadera.
–¡Mis felicitaciones!, dice feliz la maestra.
–¡Que empiece la fiesta!, propone el cantinero depositando una botella de sidra en cada mesa. Brindemos todos para desear un ¡Feliz Año Nuevo!

INDICE